NUCB BUSINESS SCHOOL
GRADUATE SCHOOL OF MANAGEMENT

ケースメソッドMBA
実況中継 | 01

経営戦略と
マーケティング

Aligning Strategy
and Sales

名古屋商科大学
ビジネススクール教授
牧田 幸裕

著者まえがき

　名古屋商科大学ビジネススクール（以下、名商大ビジネススクール）では、100%ケースでの授業を行っている。米国ではハーバードビジネススクールを中心に、ビジネスの最前線で活躍するビジネスパーソンの競争力をさらに向上させるため、100%ケースで授業が行われていることが多い。

　日本でもケースを活用するMBAは少なくないが、100%ケースでの授業を行うMBAはそれほど多くない。ケースで授業を行う価値はさまざまな価値があり、詳細は第1章に譲るが、リーダー候補生を養成するMBAでは、経営意思決定能力を向上させること、リーダーシップ能力を向上させることを目標としている。

　複雑な経営課題を紐解き、それに対する解決策を提示し、どう実行するかを自分の言葉で説明し続けるケースメソッドは、その目標達成手段として、極めて優れた教育手法である。

　本書は、名商大ビジネススクールで行われている授業「Aligning Strategy and Sales」の中から一部を抜粋し、実況中継の形態をとり読者の皆さんにMBAのケースメソッドを疑似体験していただくものである。

　ケースメソッドの醍醐味は討議にあり、実際のMBAの授業の中でケースを活用した討議がどのように行われているかを、皆さんにはぜひ追体験していただきたい。

　もっとも、ケースメソッドがどういう教育法で、それぞれの教授がどういう矜持、想いを持ってMBAの授業を行っているかを理解しないと、100%MBAケースメソッドを活用することはできない。そこで、第1章ではケースメソッド教育とは何かを検討し、第2章ではそれぞれの授業で、その授業を担当している教授がどういう想いで授業を展開しているかを解説していく。

　そして、くれぐれも気をつけていただきたいことがある。それは経営戦略

やマーケティングの基礎知識を持たないままケース討論に参加しても、ままごとにしかならないことだ。確固たる基礎知識を持たないディスカッション、討論ほど空虚で無駄な時間はない。だから第3章は、第4章の実況中継へ進む前に最低限の理論を学んでいただくための章となっている。

　そのうえで、いよいよ本書の中核であるケース授業実況中継へ進むことになる。

1 | ケースを読む
2 | アサイメントに自分なりの見解をつくりあげる
3 | 実際には、アサイメントを考えながらケースに戻り、またアサイメントを吟味し、再びケースに戻り……という繰り返しを行う
4 | そして、実況中継を読み始め、自分自身も授業に参加する

　こうした体験を、さまざまなケースで疑似体験してほしい。この疑似体験を経ることで、読者の皆さんは、MBAケース授業の醍醐味を追体験し、その難しさ、そして面白さに気づいていただけるはずだ。

　「Aligning Strategy and Sales」とは、「戦略と営業の調和」というのが直訳だが、僕なりに意訳すると「経営戦略とマーケティングのマリアージュ」である。マリアージュとは、フランス語で結婚という意味だが、ワインと料理の場合、お互いを高めあい、良さを引き出しあい、幸せな食事の時間を提供することである。

　経営戦略の中で、個々の事業の競争力を高める戦略を「事業戦略」という。その事業戦略のひとつに「差別化戦略」があるが、では、その差別化を強化するためにどうすればよいのか。マーケティングのターゲティング、ポジショニングにより差別化の軸を明確化し、事業戦略のエッジを効かせることができる。

　これは、「仏に魂を入れる」過程にたとえることができる。仏像を彫刻

する際には、最初に「荒彫り」というプロセスがある。四角い木材から「芯出し」と呼ばれる段階まで大きく彫刻する過程だ。しかし、この過程こそ全体のバランスを決定する重要な過程であり、熟練彫刻士がこの過程を担う。これが事業戦略の策定である。そして、荒彫りが終わると、表情、目線、指先など細部まで丁寧に仏像彫刻が行われる。これが、マーケティングなど機能戦略になるのである。そうして仏像が完成すると、そこに組織が、人が、魂を入れていく。

このように、ビジネスにおいて「戦略」といってもさまざまなレイヤーがあり、それぞれが「整合」「融合」「調和」されていないと、「戦略」が実際にうまく機能せず、絵に描いた餅に終わることになる。事業戦略とマーケティングをどう整合、融合させればよいのか。それが本書のテーマだ。

本書は名古屋商科大学栗本博行理事長のオーナーシップの下、名商大ビジネススクールを代表する、学生から高い評価を受けている教授陣により執筆された。本書以外にも、リーダーシップ領域、ビジネスモデル領域、行動経済学領域で素晴らしいケース授業が展開されている。ぜひお手に取っていただき、その模擬体験をお楽しみいただきたい。

本書の第4章であるAligning Strategy and Sales実況中継は、2019年夏に名古屋校で行われた「Aligning Strategy and Sales」の授業を一部抜粋したものである。ライターの小林佳代氏に名古屋までお越しいただき、構成をご担当いただいた。タイトなスケジュールの中、見事に授業を再現していただき、ここに改めて深く感謝申し上げたい。

また、日本ケースセンター長を兼任する名商大ビジネススクール竹内伸一教授には、第1章の執筆並びに、実際の授業で取り扱うケースについてさまざまなアドバイスとご配慮をいただいた。ここに改めて深く感謝申し上げたい。三宅光頼教授には、いくつかのケースについて、貴重なアドバイスとご指摘をいただいた。ここに改めて深く感謝申し上げたい。

最後に、本書は、ディスカヴァー・トゥエンティワン編集部長である千葉

正幸氏の貴重なアドバイスをいただきながら完成させることができた。企画段階から編集まですべてにおいてディスカッション・パートナーとして助言をいただいた。ここで改めて深く感謝申し上げたい。

名古屋商科大学ビジネススクール 教授

牧田 幸裕

CONTENTS

1

第1章

ケースメソッド
教育とは 竹内伸一 ———————— 013

第2章

ケースメソッド授業の使いこなし方

第4講

ユニ・チャーム
──ペットケアの営業改革 ──────── 225

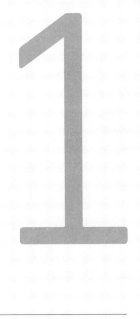

1 ケースメソッド教育とは

竹内伸一

名古屋商科大学ビジネススクール教授
日本ケースセンター 所長

ケースメソッド教育とは

「ケースメソッド（Case Method of Instruction）」を教える側から捉え、そこにもっとも簡単な定義を与えると、「事例（ケース）教材をもとに、学生に議論させることで学ばせる教授法」となる。しかし、これだけでは多くの読者は、いまひとつピンとこないだろう。

そこで、この教授法が用いられる場面をひとまずビジネススクールに絞って考えることにして、次のような説明を加えてみるとどうだろうか。[i]

1｜ケースには、現実の企業等、そしてそこに従事するキーパーソン等を主人公とした経営上の出来事が客観的に記述されている。また、そこには、ケース作成者による問題への分析や考察は、一切書かないことになっている。ケースが提示している問題の分析や解決に向けたアクションの構想は、すべてケースの読み手である学生の仕事であるべきなので、読み手が担うべき大切な仕事はしっかりと残されたかたちで、ケースは書かれている。

2｜教師はケースに記述された内容そのものを教えるのではなく、ケースに関する教師自身の分析や考察がどのようなものであるかを教えるのでもない。教師の役割はあくまでも、参加者に、その問題がどこからなぜ生じ、いまどのような状況にあり、これからどうなっていくかを理解させたうえで、どう対処すべきかの「議論」をさせることである。
もし教師が、ケースの内容や、「このケースはこう考えるべきだ」という自説を朗々とレクチャーしていたとしたら、教材にケースを使っていたとしても、ケースメソッド授業としては「不十分」だと言わざるを得ない。

3｜教師は、学生間の議論を司り、議論を通して教師が学ばせたい事柄（教育目的と言ったり、訓練主題と言ったり、ラーニングゴールと言ったりする）を

学ばせるために、学生による自発的で主体的な討論を妨げないように留意しつつも、議論の誘導を意図的に行っている。

教師は、議論がただ単に「盛り上がればよい」などとはひとつも思っていない。学生が本当に学んだかどうか、深く学んだかどうか、さらにいえば、議論を通して、一人一人の学生がこれまでに確信してきた事柄が少しでも「揺さぶられた」かどうかに関心がある。よって、教師は学生に対してさまざまな「揺さぶり」をかけてくる。

4 ｜ 一般的なビジネススクールでは、学生の成績評価の一定割合が、「クラス貢献点」と呼ばれる、発言の量と質に由来する点数によって構成される。よって、学生にとっては、クラスで「よい発言を数多くする」ことが、自分がよい成績を取るための重要な戦術となる。名商大ビジネススクールのどの授業においても、学生が授業時間中に教師に強い視線を向け、「いま私を指名して」という心の声を強く発しながら、粘り強く挙手し続けるのはそのためである。

このくらいの説明が加わると、ビジネススクールにおけるケースメソッド授業が少しはリアルになってきたのではないだろうか。ここまで読んで、「そういう授業に自分も参加してみたい」という気持ちが少しでも生じてきたならば、この本は最後まで一気に読めるだろう。

教育学的に見たときのケースメソッド

前節でしてみたように「ケースメソッド」を文章で説明することはどうにかできるのだが、その実現型あるいは実践型は実に多様であり、「標準的

i 竹内伸一（髙木晴夫監修）（2010）『ケースメソッド教授法入門 －理論・技法・演習・ココロ－』慶應義塾大学出版会。

な授業」というものはあるようでない。ビジネススクール型のケースメソッドの歴史は100年ほどであるが、ケースメソッドに関しては、この100年の間に標準化が進んだのではなく、むしろ慎まれてきた感さえある。本節ではこのことについて述べながら、教育のアプローチとしてのケースメソッド、そしてケースメソッドは単なる教育の手段や方法か、あるいはそれ以上のものか、という話題にも広げていきたい。

　本書の目的は名商大ビジネススクールの授業紹介であるから、本書の学問上の文脈は経営学であるとしても、本章を担当している筆者は教育学の人間でもあるので、ここからしばらくはケースメソッドを教育学的に見てみようという趣旨である。

　HBS（Harvard Business School）のガービン教授（David A. Garvin）によれば、この教授法の原初型は、1870年ごろから、HLS（Harvard Law School）のラングデル校長（Christopher C. Langdel）によって米国ではじまった。[ii] 当初のものは、「case（裁判の判例）を用いて行われた討論授業」における教授法であるが、今日、筆者らが日常的に行っているケースメソッド教育の原点は、1920年代から同じハーバード大学のビジネススクールであるHBSではじまった、「case（経営上の問題直面場面を物語風に記述した事例教材）を用いた討論授業」である。当時の教授会記録によれば、この教授法をはじめは "Case System" と呼んでおり、のちに "Case Method" と呼ぶようになったようだ。

　高等教育史を振り返ると、ケースメソッド教育は、新興の大学よりも、どちらかといえば伝統的な大学で丁寧に育まれてきたといえるだろう。学問の自由を重視する教育研究組織に奉職する大学教授たちが、教授の数だけ個別のティーチングスタイルを築き、ケースメソッド授業を多様化させ、柔軟性のある教育活動としても育んできたのである。

　しかし、そこには多様性と柔軟性だけがあったのではなく、それらを束ねようとする強い求心力もあった。それが "participant centered" という

教育アプローチである。よく似た意味の語句に "student centered"（ちなみにこの反意語はteacher centered）があるが、これだと教室の主役が教師ではなく学生であることの示唆に留まり、学生を授業の主役にするための教師による数々の仕立てや仕掛けが含意されない。

ケースメソッドが "participant centered" であり続けたことによって、ケースメソッドは「教育方法（teaching method）」という意味を超えて、「教授法（pedagogy）」という意味の次元に発展した。このことは、ケースメソッドで教える者にとっても学ぶ者にとっても、とても重要なはずである。"pedagogy" は「教育学」という意味にまで膨らみ得る語なので、ケースメソッドはもはや教育の「手法のひとつ」なのではなく、教育の「あり方」や「到達点」と考えるべきだろう。

名商大ビジネススクールの教員会議でも、本学にとってのケースメソッドはもはや「教員個人が選択する教育の一手法」ではなく、少なくとも "participant centered approach" あるいはアクティブ・ラーニングを可能にするための「ビジネススクール教育の方法論」であり、でき得れば名商大ビジネススクールという「組織の中核的資産」であるべきだと議論されている。

ケースメソッドで「本当に」学べるのか

ケースメソッドの代名詞のようにいわれるビジネススクールにおいても、ケースメソッド教育実践校は実際には少数派である。また、「当校ではケースメソッドを採用しています」と言えたとしても、「それが本当にケースメソッド授業といえるのか」という疑問を拭うのはそれほど簡単でない。

---

ii　Garvin, David A. (2003), "Making The Case", Harvard Magazine, Sept-Oct 2003, Vol.106, No.1, pp.55-65.

ケースメソッド教育を組織的に実践するには、相応の苦労と代償を伴うからである。大半のビジネススクールにおけるケースメソッド教育の現実的実践像は、本章の冒頭節で列挙した4点のうちの「どれかが欠けているもの」になりがちだ。

　筆者はこのことを、ことさら批判しているわけではない。これは教育の「性（さが）」であり、「宿命」なのである。HBSのデューイング教授（Arthur S. Dewing）が言うように、教育を伝授型と訓練型に二分する[iii]ならば、教育は自ずと伝授型に向かおうとする力学の中で営まれている。そこにはさまざまな合理性があり、背景もあり、教育機関という組織と、そこでの職務に従事する人間の選好もそこに反映する。

　教育界でのマイノリティであるケースメソッド教育は、ピュアに実践されていればいるほど社会から稀少視され熱いエールも受けるが、マジョリティ側からの批判も受けることになる。

　ケースメソッドが批判されるときの理由づけには、「効率的に知識習得できず、学修者の知識量が不足する」「教育効果が量的に測定できない」「授業品質のばらつきが大きく教育の質保証が難しい」「学生が討論に耐える基礎学力を有していない」「討論させるにはクラスサイズが大きすぎる」「ケース作成をはじめとする授業準備の時間が取れない」などがある。

　ここではよく述べられる理由の数々を、教育方法上の課題から教師がもつ教育資源上の課題に向かうよう並べてみたのだが、マジョリティたる伝統的な伝授型教育を所与としたときには、マイノリティたる訓練型教育を批判する理由はいくらでも出てくる。

　これに対するケースメソッド陣営からの反論には、「ケースメソッドは思考力、そして意思決定力を育む」などがある。この弁を信じようと思えば信じることもできるが、「説明説得の決め手には欠ける」と言われても、それほど強くは反論できない。あえて自虐的に言えば、「弱々しい反論」と受け取られてしまうこともある。

「ジョージ・W・ブッシュも、マイケル・ブルムバーグも、三木谷浩史も、新浪剛史も、皆ケースメソッドで学んで活躍している」と言われて納得する人もいれば、それでは客観的なエビデンスを伴った説明にはなっていないと、疑問視する姿勢を崩さない人もいるのである。

　しかし、エビデンスこそうまくつくれていないが、専門家集団たる教授陣による膨大な経験の裏づけがあり、修了生の確かな活躍があり、実業界からの信頼もあるからこそ、ケースメソッドは社会から支持されてきた。これは真実であろう。そして、本学に関していえば、その教育のプロセスと品質はAMBAとAACSBという二つの国際認証を得る水準にあり、三つめの国際認証であるEQUISへのチャレンジ準備も進めている。

　この種の教育財（教授法を財と捉えることには違和感もあろうが）を深く理解するには、エビデンスを頼りに「他からの説明説得を得る」のではなく、歴史や思想や機構を手がかりに「自ら信頼を寄せていく」ことも必要であろう。しかし、そのような姿勢を必ずしも多くの人が持ち合わせているわけではないために、教育界全体としてはケースメソッドへのある種の不信感を拭えていないのである。

　筆者は教授法を山になぞらえて考えることがある。

　山の魅力を考えるとき、少なからざる登山愛好者が山頂からの眺望をその山の魅力の中心に置くのではないか。麓（ふもと）付近や中腹からの景色、あるいは登りやすさを理由に、ある山を愛することは、多くはなかろう。

　教授法にも同じようなことが言える気がしている。ケースメソッドという山は、山麓や中腹ではさまざまな問題が生じやすいが、山頂に近づけばその眺望は格別であり、手法として捉えていたときの諸問題がもはや問題でなくなっている。ケースメソッドという山の山頂から経営人材育成を展望したとき、「この教授法はやはり信頼に足る」と心からそう思える。

　一方、ケースメソッドを批判する人の多くは、山の麓や中腹にいて批判

ⅲ　Dewing, Arthur S.(1954), "An Introduction to Use Cases", in McNair, Malcolm P.(ed.), The Case Method at the Harvard Business School: Papers by Present and past Members of the Faculty and Staff, pp.1-5, McGraw-Hill.

している。筆者らは山頂付近の眺望を知ってしまったので、そのような批判ももうそれほど気にはならないのである。

ケースメソッド教育の担い手としての責任

名商大ビジネススクールは1990年の開設で、じつはそれほど新しいビジネススクールではない。また、近年の少なからざる夜間および休日開講のビジネススクールが文科省における大学院設置区分上の「専門職大学院」であるのに対して、本学が伝統的な「学術大学院の修士課程」であることは意外と知られていない。

世の中には「専門職大学イコール実践志向」で「学術大学院イコール研究志向」という理解があるようだが、実際にはそんなに単純な話ではない。

このことをケースメソッドに紐づけると、次のようにいえる。

ケースメソッド授業では、毎回n=1の単一事例をもとに議論し、他ならぬ当該の事例が到達すべきゴールのありようを、「ケースバイケース」という言葉に逃げずに、深く探究しようとする。

この知的活動には、ただひとつの事例において問題が解決されるだけで、普遍解を得ようともしない弱腰感も、逆に、限定された事例が不当に一般化される行き過ぎ感も共存し、いずれにしても科学的探究とは言い難い。ここでは、こうした弱腰感と行き過ぎ感の両方を視野に入れ、最高学府たる大学の名に恥じないよう、経営の実践を「科学」の次元で扱うことが求められる。

そんな新しい科学のあり方を探究していた吉田民人は、従来の科学のようにすでに生じている多事象を客観的かつ包括的に説明するのではなく、これから生じさせたい一事象を精緻に創造していこうとする営為に、「設

計科学」という概念を与えている。[iv]

　ビジネススクールの授業の中でこうした科学概念に準じた学修を進行させていこうとすると、経営の経験的知見を元手にしているだけではおそらく実現できず、重厚な知識基盤あるいは経験基盤をもったそのうえで、多サンプルの事例を客観的に捉え、恣意を排して冷静に考察していく習慣をもつ「学問」の下支えが欠かせなくなるだろう。

　高度成長期における日本の経営教育は二大専門企業研修会社が支え、大学は企業の期待には必ずしも応えられずにいた。[v]この時期の経営は、学問である必要も、科学である必要もなかったのかもしれない。

　しかし、わが国にも経営大学院が設置されはじめ、各大学がしのぎを削ってきた過程には、大学が持つ問題設定力、分析考察力、そして知識発信力が企業人材の育成に資しているという確かな手応えがあった。企業研修においてもコーポレートユニバーシティの選抜リーダー育成には国内外のビジネススクール教員が大きく関与し、ビジネススクール教育と企業内教育の境界が昔ほど明確でなくなってきた。

　このように経営が真に科学であるならば、ビジネススクールの授業も、「分析枠組みの活用」や「理論の実践への適用」という次元に留めず、多彩な学問の裏づけをもって学際的に、そして経営実践をモチーフにした「総合芸術」としても扱われる必要がある。となると、そこに一日の長があるのは学術大学院であり、伝統的大学が設置したビジネススクールは今こそその真価が問われているようにも思う。

　また、ここまでの文脈を借りて、ケースメソッド教育の特徴側面として「教師が講義をしない」「扱う問題には正解はない」ということばかりが強調され過ぎることの弊害も、併せて指摘しておきたい。

　表面的に理解されたケースメソッド授業の教室では、そこで教師で何かを教えているわけではなく、ましてや、科学の手順を踏んで何かを探究しているわけでもない。しかし、それでも受講アンケートには「議論は楽し

iv　吉田民人（1999）「21世紀の科学―大文字の第2次科学革命」『組織科学』第32巻第3号、4-26頁、組織学会。

v　高宮晋（1976）『日本の経営教育への提言』産業能率短期大学出版部。

かった」という言葉が並んでしまうがゆえに、授業者がそれに甘えるという構図が生まれやすい。これでは「プロが行う誠実な教育」とはいえないはずである。

このようなことは「まがい物のケースメソッド」という表現で、1940年代の米国ビジネススクール界にすでに大きく指摘されている。[vi]

それでは、本学がすべてパーフェクトかと問われると決してそうではなく、もちろん発展途上である。しかしながら、本学を含むケースメソッド教育を真摯に実践しているビジネススクールでは、教員がケースメソッドを「本物」たらしめんと日夜努力しており、「まがい物のケースメソッド」と明確に識別されなければならないのだと、入念な自己点検を重ねている。そのことだけは、ここで伝えておきたい。

学生はケースメソッドとどのように向き合うか

名商大ビジネススクールの場合、入学者のおよそ8〜9割は、本学が入学志願者に提供している体験授業を経ての入学である。筆者らがビジネススクールで学んだ時代にはそんな機会はほぼ皆無であったことを考えると、今日の学生は恵まれているともいえる。

しかし、一回か二回の体験授業で見えてくる事柄はやはり限られていることを差し引くと、ケースメソッドを「ひとまず知った」という段階に過ぎない。

また、入試面接ではすべての志願者に「クラス討議でどのような貢献ができそうか」と必ず尋ねるのだが、入学後にクラスで朗々と意見を語るであろう志願者にも数多く出会うものの、「人前で話すのが苦手」という弱点を認めつつ、それを克服したいがために入学を志望している志願者のほうが圧倒的に多い。

このように、本学ビジネススクールの教室には最初から役者が揃っているわけではなく、入学して役者になるのである。本学に入学してくる学生とい

えども、人によっては当初、ケースをもとに討論して学ぶことへの不安やネ
ガティブな印象があったのかもしれない。しかしそれでも、入学の決意に
至る過程でそれを拭い取り、ケースメソッドで学ぶことへの期待に胸を膨ら
ませ、「ケースメソッドと運命をともにする」する覚悟を決めて入学してくる
のである。

　さて、そんな新入学生が入学後、ケースメソッド教育にどのように適応
するかというと、それは「当為の法則」ならぬ「必然の法則」に則るこ
とになる。多額の入学金と授業料をすでに支払ってしまった新入生は、
ケースメソッドによるMBAプログラムに適応せざるを得ない。ケースの予習
をして、クラスで発言しないことには成績が整わず、進級も卒業もできな
いからである。

　ケースの予習、すなわち発言準備を済ませた学生は、クラスディスカッ
ションの前に小グループでのディスカッションに臨むが、そこでは誰がどのく
らい入念な準備をしてきたかが一目瞭然になる。意欲的な学生同士が意
気投合する学びの渦の中に入れなかった学生は、次の授業日までに猛省
して出直さなければならない。いささか暴力的に聞こえるかもしれないが、
ここで生きていくには、熱心に予習をして、グループで仲間に認められ、
クラスで発言し、クラスに貢献し、教師からも評価されなければならない。

　このようなわけで、入学後はじめての授業では「やった、発言できた」
と本当にうれしそうに深く安堵している学生や、「結局、発言できなかった」
と落胆している学生の姿が教室内に散見される。これが、新入学生を迎
える本学の、4月と9月の風物詩でもある。

　また、名商大ビジネススクールに関していえば、ケースメソッドとの対峙
という非日常性の上に、成績評価の厳しさという辛味のスパイスが振りかけ
られる。

　本学では、各科目の履修者の成績を点数化して昇順に並べ、上から1

---

vi　Gragg, Charles I., "Because Wisdom Can't be told", in McNair, Malcolm P.(ed.), The Case Method at the Harvard Business School: Papers by Present and past Members of the Faculty and Staff, pp.7-14, McGraw-Hill, 1954.

割をA、次の3割をB、そして下から3割を不合格とする相対評価を行っており、不合格者には単位を出していない。このことはケースメソッドの本質とは直接関係ないが、学生の立場で考えると、非常に強く、そして大きくむすびついてくる。入学当初、「自分はクラスの下から3割には該当しない」と胸を張れる学生はほとんどいない。こうした恐怖感と隣り合わせのまま、最初の学期がはじまるのである。

　ビジネススクールの授業に大なり小なりのサバイバルが存在することは事実だとしても、共創が競争を上回って生じてくることに向けた仕掛けもまた幾重にもある。たとえば本学では、ケースメソッド授業のすべての参加者に「勇気」「礼節」「寛容」という徳を求め、教室では「学びの共同体」を目指し、ロースクール的なソクラティックなムードではなく、温かいムードを維持するようにも努めている。

　こうして、ケースメソッドで教えているビジネススクールに入学すると、予習また予習の2年間がはじまり、最初の1、2カ月はまさに「生きた心地がしない」。しかし、ビジネススクールに来るような学生はもともと学習能力が高いので、すぐに予習上手になり、発言上手にもなる。非日常的と感じられた日々もやがてそれが日常となり、うまく習慣化される。ただそれでも、ケースの予習が生活を「支配」していることに変わりはないのである。

学生はなぜこうした荒行に耐えるのか

　筆者が慶應義塾大学ビジネス・スクール（KBS）のMBA学生だったとき、最初の入学合宿で新入生担当としてお世話いただいた余田拓郎教授（当時、助教授。現在は教授で経営管理研究科委員長、ビジネス・スクール校長）に「ここで2年間学ぶと、どうなるのですか」と尋ねたことがあった。余田先生ご自身もKBSのMBAホルダーだったこともあり、入学早々ヒートアップす

る予習合戦に音を上げつつあった筆者は、「この先生に聞いてみたい」と思ってそう尋ねたのである。

そのとき余田先生は、「卒業すると肉汁がじわっと出てくるようになる」と答えられた。そのときの筆者は、わかったような、わからないような気持ちでもあったが、その言い回しには独特の深みがあり、いまでも時々思い出してしまう。

その2年後に筆者も卒業して、再び社会に出た。そのときに感じたことも付記しておくと、クライアント企業のビジネスの営みが、なぜかとても「ゆっくり」と感じられたのである。それはまるで、高速道路を自分はそこそこ性能のよいクルマで走っていて、スッと加速もできるし、サッと減速することもでき、道路状況もだいたい見通せている、という感覚だった。いま思い返すと、たいへん懐かしい感覚ではあるが、確かにそう感じたものである。

ビジネススクールで大量の高速処理を立て続けに行うと、必ずしも速いスピードで情報の収集や分析や判断がされていない世界に戻ったときに、自分に余裕が生じ、その余裕を中長期展望、戦略立案、職場環境整備、他者に対する配慮、後進の育成、そして、さらなる自己啓発に充てることができる。また、その延長上により上位のマネジメント職としての活躍像も見えてくる。

卒業後に変わるのは、ポジションや給与でもあるだろうが、何よりも時間の質が変わる。それはクルマに例えれば、エンジンと足回りが強化されることによる走りの質の向上であり、走り、曲がり、止まるのすべてに爽快感が増すということである。

そんな話を先輩たちから聞くので、学生たちはこの荒行に耐えようとする。その過程で、古今東西のビジネススクールにおいて "Tough Mindedness" と尊ばれてきた精神力（それと時として「神通力」でさえあるだろう）が鍛えられるとともに、仲間が不得意とする領域のケース準備は進んでサポートしたりすることを通して、人間の器の大きさも育まれていく。このようにケースメソッドには全人格教育という重要な一面があり、HBSの古い教員たちは「ケースメソッドは態度教育」とまで言い切るのである。

このように、ケースメソッド教育の歴史は、この教授法で学んだ人たちの深い「満足」によって支えられてきた。それは毎時の授業満足度調査で測るような満足の端切れではなく、今日は授業に参加して「気持ちよく発言できた」などというような手軽に味わえる満足でもなく、手間暇かけて育てた作物が、長い月日を経て実りはじめたときにようやく感じとることができるような高次の満足である。エビデンスも大切かもしれないが、当事者の満足、それも高次の満足、それこそがもっとも重要なのではないか。

ビジネススクールで得るものは、直接的には経営管理能力であったとしても、そこには人間的な成長も力強く伴走していて、自分の人生を豊かになりつつあることへの幸福感がそこに追従するからこそ、学生は艱難辛苦を乗り越えてMBAという学位を取得しようとする。このとき、備わった経営管理能力にも、人間的成長の足跡にも、ケースメソッドという教授法が実は大きく影響しているということが、社会には「意外と理解してもらえていない」のではないかと筆者は考え、本章を記した。

本書の導入としての説明は、以上である。次章以降では、本書のメインボディを担当する本学教員が、学生に向けて入念に構築し、精緻に実践している「ケースメソッド授業」の一部始終を、生々しく、そして熱く紹介してくれる。

2

ケースメソッド
授業の使いこなし方

牧田流・ケースメソッドの使いこなし方

　先の第1章では、竹内伸一先生からケースメソッド教育の歴史的経緯、発展とビジネススクールにおいて学生がどのような心構えでケースメソッド授業に臨むべきか、その心構えについて説いていただいた。竹内先生は、ケースメソッド教育における日本の第一人者の一人であり、名商大ビジネススクールにおけるケースメソッド教育の品質をさらに向上させていく強力なエンジン、推進力でもある。

　僕が竹内先生の第1章の原稿を拝見したとき、本当にそのとおりだと考え、名商大ビジネススクールの同僚の一人として、竹内先生からさらにケースメソッド教育を学び、自分自身のケースメソッド教授能力を向上させたいと考えた。

　しかし、これから第2章では、多くの部分で第1章に書かれていたこととは、真逆のことを述べていく。読者の立場では、「第1章と第2章で言っていることが違うじゃないか！どちらが正しいんだ！どちらについていったらよいんだ！」と思われることだろう。

　第1章と第2章、どちらが正しいかは、わからない。どちらについていくのか、そもそもついていかないのかを決めるのは、あなた自身である。これがMBAの授業の立場だ。

　MBAで使用するケースの中には、真逆の対立する主張が併記されることがある。どちらもそれなりに説得力がある。でもリーダーは、どちらかを選ぶ、または、どちらも選ばず、自分で新たな選択をしなければならない。だから、第1章、第2章をまずは読み込んでもらって、自分だったらどちらが正しいと判断するのか、または、我々の考え方を昇華させて、自分なりの主張を創り上げてほしい。

　また、第2章を読む前にお願いしたいことがある。僕の授業は名商大ビジネススクールの中でもかなり異端の授業であり、これが名商大ビジネスス

クールの授業の標準形ではない。しかし、2019年度の僕が担当した授業は、名商大ビジネススクールのすべての授業の中で最高評価を得ており、本書のベースとなる「Aligning Strategy and Sales」も名商大ビジネススクールが提供する授業の中でも最高評価の授業のひとつである。

第1章でも竹内先生が述べられたように、"participant centered"という教育アプローチは名商大ビジネススクールが提供する価値としては、どの授業も変わりはない。この哲学はゆるぎなく守られる。

しかし、「教授の数だけ個別のティーチングスタイルを築き、ケースメソッド授業を多様化させ、柔軟性のある教育活動としても育んできた」とあるように、名商大ビジネススクールではケースメソッドの哲学を守るかぎり、教授個々人の信念に基づいて最高の授業を提供することを許される。僕はその環境下で、自分の信念に基づき、独自の授業を行ってきた。

したがって、これからお話をするケースメソッドの使いこなし方は、名商大ビジネススクールの標準形ではない。しかし、僕の授業の哲学であり、僕の授業を受講する学生は、必ず心して授業に臨むことを期待している。

名商大ビジネススクールでは、すべての授業で最新のビジネスケースを教材としたケースメソッドを導入している。米国ハーバードビジネススクールも同様で、ケースに重点を置き、リーダーとしての思考、意思決定の訓練を行っている。第2章では、読者諸氏がMBAに入学した場合どのようにケースメソッドを使いこなしていったらよいのかということを検討していく。

そのためには、ケースメソッドが何を目的にしているのかを考えなければならない。しかし、それ以前にそもそも考えなければならないことがある。それはMBAの目的だ。MBAの目的を達成するためにケースメソッドが存在するわけであり、ケースメソッドの目的を明らかにするためには、MBAが何を目的としているのかを明らかにしなければならない。そこでここでは、まずMBAの目的から検討していこう。

MBAの目的

　MBAは、企業経営を科学的アプローチによって捉え、経営の近代化を進めるという考え方のもとに、米国において19世紀末に登場した高等教育コースである。MBAプログラムは、研究者ではなく企業経営の実務家、リーダーを養成することを目的とし、発展してきた。

　では、MBAは、企業経営の実務家、リーダーをどうやって養成するのか。

　企業経営の構成要素は、「やることを決める」と「決めたことを実行する」。高尚な言い方をすれば、「経営意思決定」と「リーダーシップ」だ（図表1）。経営学の範疇でいえば、「戦略策定」と「組織マネジメント」を学ぶことで企業経営の実務家、リーダーを養成するのである。

　この目的を達成するために、MBAでは「経営意思決定」の領域で、

経営戦略
マーケティング
人的資源管理
ファイナンス
アカウンティング

また、「リーダーシップ」の領域で、

リーダーシップ
アントレプレナーシップ
イノベーション

などの授業がある。

　MBAの付随的提供価値でもある、MBA在校生、卒業生との人的ネットワーク、リレーションの構築もリーダーシップ養成に貢献することになる。

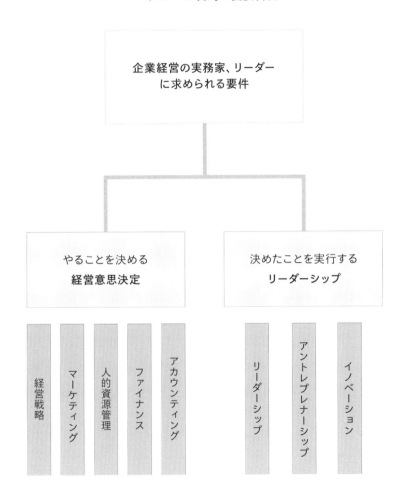

図表1 | **MBAの目的と提供科目**

企業経営の実務家、リーダー
に求められる要件

やることを決める
経営意思決定

決めたことを実行する
リーダーシップ

経営戦略

マーケティング

人的資源管理

ファイナンス

アカウンティング

リーダーシップ

アントレプレナーシップ

イノベーション

ケースメソッドの目的

ケースメソッドは、これらMBAの目的を達成するために存在する。

ケースメソッドとは、ケースをもとに、参加者相互に討議することで学びを得る授業方法である。ケースには客観的事実（主に問題状況）が事例として書かれており、ケース執筆者の分析は書かれていない。分析はケースの読者であるMBAの学生にゆだねられる。ここで、MBAの学生は客観的事実を分析し、自分なりの経営意思決定をし、クラス内の討議で自分の主張を提示する。このプロセスをMBAの学生同士で戦わせることで、「経営意思決定」能力と「リーダーシップ」能力を養成していく。

この目的自体は正しい。そして、

1 | MBA学生がケースを分析する
2 | 自分なりの経営意思決定を形成する
3 | クラス内の討議でMBA学生がお互いに自分の主張を戦わせる

というプロセスが機能するならば、ケースメソッドで「経営意思決定」能力と「リーダーシップ」能力を養成していくことができる。

しかし、現実の日本のMBAで、アジアのMBAで、ケースメソッドを活用し、この目的を十分に達成しているビジネススクールは、ほとんど存在しないだろう。なぜか？

大半のMBA学生は、1番目と2番目のプロセスであるケースを分析し、自分なりの経営意思決定を形成する能力が十分ではないからだ。だから、3番目のプロセスであるクラス内の討議でMBA学生がお互いに自分の主張を戦わせることができない。

では、なぜ大半のMBA学生はケースを分析し自分なりの経営意思決定をできないのか？　それは、経営意思決定の判断軸をまだ持っていない

からだ。経営意思決定の判断軸とは何か。経営戦略、マーケティング、ファイナンス、アカウンティングなどの基礎知識である。

　MBA学生は、経営学部出身の学生ばかりではない。法学部、工学部、時には医学部出身のMBA学生もいる。そういった学生は経営戦略やマーケティングの知識を持ち合わせず、そもそも経営意思決定の判断軸を持っていない。また仮に経営学部出身のMBA学生の場合でも、経営学部で学んだ知識をビジネス実務の経営意思決定に活用できるかというと、ほぼできない。なぜか?

　それは、レベルが違うからである。

　僕は京都大学経済学部を卒業後、京都大学大学院経済学研究科の経営学コースを修了した。履修科目はすべてA評価で修了し、その後、外資系コンサルティング会社で戦略コンサルタントとしてビジネス実務の世界に入ったが、大学院で学んだことは一切通用しなかった。京都大学大学院で学んだ経営学は、河川敷でビールを飲みながら楽しむ草野球の世界である。一方、ビジネス実務の経営意思決定は、米国大リーグのしのぎを削る戦いである。求められるレベルが違い、京都大学ごときで学んだ経営学はビジネス実務の世界で一切通用しなかった。

　しかし、MBAの学生に求められるのは、米国大リーグでプレイすることである。ビジネス実務の世界で企業経営を行うことである。草野球の河川敷で楽しく野球をし、その後ビールを飲んですっきりすることではない。

　だから、先に挙げたケースメソッドのプロセスである以下の3点――

1 │ MBA学生がケースを分析する
2 │ 自分なりの経営意思決定を形成する
3 │ クラス内の討議でMBA学生がお互いに自分の主張を戦わせる

　この中で、1と2をないがしろにして3を行っているのであれば、それは

幼稚園でのお遊戯会にすぎない。なんちゃってMBAもどきを、遊び半分に行っているだけである。「経営意思決定」能力を向上させ、「リーダーシップ」能力を向上させようとする意欲あるビジネスパーソンが、その貴重な時間を投資する対象ではない。

だから、僕の授業の中では、1と2をできるようになるための基礎能力、ケースメソッドを使いこなすための土台を形成することに、時間と労力をずいぶん使っている。すなわち、MBA学生が経営意思決定をするための判断軸を形成することに、時間と労力を使うわけだ。

MBAの授業は、「講義」と「討議」に分解できる。

「講義」とはレクチャーであり、経営戦略やマーケティングの基礎知識を使いこなせるかどうか確認し、使いこなせないのであれば、どうすれば使いこなせるようになるのかを検討する場である。「討議」は、基礎知識を使いこなせるようになったうえで、実際にそれを活用し自分の主張を形成し、議論を戦わせる場である。

僕の授業は、ここでいう「講義」にしっかりと時間を使う。M.ポーターが説明するバリューチェーンと、実際のビジネス実務で外資系コンサルティング会社が活用するバリューチェーンは全然意味合いが違う。その違いを明確に説明できるのか。3C分析の順番はどうなるのか。なぜその順番でないといけないのか、その背景を明確に説明できるのか。

これらは、経営戦略の基礎の基礎であり、それすら説明できないまま、仮にMBAで経営戦略の討議を行うのであれば、それは幼稚園のお遊戯会だ。幼稚園児のパフォーマンスとしては、頬を緩めて微笑ましく、嬉しく、楽しく観覧するが、大の大人がそれを行ったら、寒いだけである。

一般的にMBAの授業は、多様性を認め、さまざまな主張を尊重し、温かいムードで行われることが多い。僕の授業は、そういうムードではない。不十分な分析、意思決定に対しては容赦なくロジックで詰める。詰めて詰めて詰めて、どうすれば論理的に正しい主張になるのかを一緒に考える。名商大ビジネススクールの中でも、異端の授業だろう。

もっとも、ハーバードビジネススクールでも、「教授が学生の発言を真摯に受け止め、その尊重の態度が継続するならば、学生は発言者として自分の存在意義を感じ、教授に対し信頼感を持つようになる」と指摘しており、教授とMBA学生、MBA学生同士の判断軸のブラッシュアップこそが、多くの日本、そしてアジアのMBA教育に対する提供価値だと考えている。

ケースメソッドの土台

ケースメソッドのプロセスは以下のとおりであると先に述べた。

1 | MBA学生がケースを分析する
2 | 自分なりの経営意思決定を形成する
3 | クラス内の討議でMBA学生がお互いに自分の主張を戦わせる

1のプロセスに「ケースを分析する」とあるが、そもそも「分析」とは何か。授業の中でMBA学生に対して「分析とは何か」と質問することがあるが、十分に回答できる学生はそれほど多くない。先にも述べたように、ケースには客観的事実が書かれている。そこから自分なりの解釈、発見、主張を得ることが「分析」である。

マッキンゼーをはじめ、多くの外資系コンサルティング会社では、米国でMBAを取得したコンサルタントを数多く中途採用する。MBAホルダーを採用した後、最初に徹底的に叩き込むのが、「雲⇒雨⇒傘」の分析プロセスである（図表2）。

解釈方法　　　　　問題解決手法

【雲】事実	【雨】気づき	【傘】気づき
空を見ると雨雲が多い	夕方には雨が降ってきそうだ	傘を持っていくべきでは？

観察した結果、
確認できたこと（状況確認）　　事実（状況認識）をもとに
導き出した気づき（解釈）　　気づきをもとに、とるべきだと
結論づけた行動

　窓の外に雲が見える。これは誰が見ても同じ雲だ。誰が見ても同じものだから、客観的事実である。しかし、客観的事実である雲を見て、「雲が出てきた。雨が降るかもしれない！」と解釈する人もいれば、「雲が出てきた。気温が上がらず、寒くなるかもしれない！」と解釈する人もいるだろう。解釈は人それぞれだ。

　この解釈に基づいて、「雨が降りそうなので、傘を持っていこう！」というアクション（解決策）をとる。または、「寒くなりそうだから、上着を着ていこう！」というアクション（解決策）をとる。

　実際のビジネス実務も同様である。会議の場で、さまざまな資料、データが示される。これは客観的な事実である。しかし、その事実をどう解釈し、企業として、あるいは部門として、どうアクションを決定するかは、企業や部門によってそれぞれだ。しかし、企業も部門も組織で動く。組織で動くからには、自分の解釈を組織に納得、説得させなければならな

い。では、どうすれば自分の解釈を組織に納得、説得させられるのか。

　雲と雨、言い換えれば、客観的事実と解釈のつながりを明確にすることで、自分の解釈を組織に納得、説得させることができる。

　では、どうすれば、雲と雨のつながりを明確にできるのか。それは、雲と雨のつながりを、次の2つの側面で説明すればいい。

1 ｜ ロジカルシンキング
2 ｜ フレームワーク

　演繹法、帰納法を活用し、客観的事実と結論の因果関係を明確にすること、フレームワークを正しく使いこなすことで、情報のインプットとアウトプットのつながりを明確に説明する。これをどこまで正しくできるかによって、組織を納得、説得できるかが変わってくる。

　だから、僕の授業、特に討議では、次の2つに時間と労力を注ぐ。

1 ｜ 徹底的にロジカルであること
2 ｜ フレームワークを正しく使いこなすこと

　そして、それを相手がわかるように発言することを求める。

　MBAの授業の中でよく「このケースに登場する企業の問題点は何か？」と質問する。そうすると、「売上が伸びていないことです」といった答えが返ってくることが多い。こういう場合、即座に「0点やな。その答え。なんで0点かわかるか？ 説明してみろ」と返すことにしている。学生（といっても、社員1万人以上いる上場企業の課長クラス）は、鳩が豆鉄砲を喰らったような顔をしているが、「脳みそ使え、考えろ」と突き放す。

　「売上が伸びていない」というのは、単なる状態にすぎない。なぜそれが問題なのか。成長市場で競合企業が軒並み売上を伸ばしている中、ケースの企業が売上を伸ばしていないなら、それは問題かもしれない。しかし、衰退市場で競合企業が軒並み売上を落としている中で、ケースの

企業が売上を伸ばしていない（＝落としてもいない）のであれば、それは健闘しているということになる。

　どの情報をもとに、それをどう評価したか、その結果、どのような自分の判断、主張になったのかまでを説明しなければ、プレゼンテーションとしては不十分である。

　だから、僕の授業では、学生の発言を温かく拾い上げることなど一切しない。リーダーとして不十分なしょぼい発言は、切り捨てるかこき下ろす。

　ある程度発言をしっかりできるようになると、プレゼンテーションをクラスの前に出てきて行ってもらうことがある。普段僕が授業をしている黒板の前で、学生が自分の判断、主張をプレゼンしてもらうわけだ。

　ところが、クラスの前に出てくると突然プレゼンがしょぼく、イマイチになる学生が多い。自席に座って発言するときには、よい発言を上手にしているにもかかわらずだ。

　なぜ、そうなるのか。緊張するからだ。黒板の前に立ち発言するとき、目の前には50人から80人の学生たちが並んで、こちらを注目している。学生たちは、上場企業でビジネスの最前線で活躍している切れ者のビジネスパーソンである。そういう学生たちが居並び、こちらを注目している中で、自分の主張、判断を明確にロジカルに話さなければならない。ロジカルに話すことができなかったら、横で聞いている僕から「何それ？その因果関係、さっぱりわからないんだけど。そんなんでリーダーとしてプレゼンするつもりか？」と突っ込みを入れられる。

　僕からのプレッシャー、学生たちからのプレッシャーを感じながら、自分の主張、判断を説明するのは確かに大変である。でも、それはビジネスリーダーとして、当たり前の仕事だろう。

　ビジネスリーダーともなれば、幕張メッセや東京国際フォーラムなどで講演する機会も訪れる。そうなれば、80人どころではなく、500人、1000人の前でプレゼンテーションを行うことになる。または、経営陣、投資家に投資意思決定の判断を仰ぐこともあるだろう。MBAのクラスで前に出てプレゼンすることなど、それらのプレゼンと比較すれば、準備運動に過ぎない。

少しでもビジネス実務のプレゼンに近づけるように、僕はいろいろなプレッシャーをかけながら、学生たちにはプレゼン能力を鍛えてもらう機会を提供するようにしている。

　ここまで読んできて、ケースメソッドを活用し、使いこなすことの土台として、以下の4つを鍛えなければならないことがおわかりになっただろうか。

1 ｜ ロジカルシンキング
2 ｜ フレームワーク
3 ｜ プレゼンテーション
4 ｜ リーダーとしてのプレゼンテーション

　ここからは、これらをそれぞれ、どのように鍛えていったらよいのか、MBAでは、どのように鍛えられていくのかについて検討していこう。

ロジカルシンキングの鍛え方

　MBAで自分の判断、主張を行う際に使用する論理的思考法は、基本的に演繹法と帰納法の2種類で十分である。ただ、演繹法、帰納法を頭の中でわかってはいても、実際に使いこなそうとするとうまくいかない場合が多い。そこでここでは、なぜうまく使いこなせないのか、どうすればうまく使いこなせるのかについて検討していく。

　演繹法とは、一般的・普遍的な前提から、より個別的・特殊的な結論を得る論理的推論の方法である。言い換えると、「AならばBである。BならばCである。故に、AならばCである」という論理的推論の方法だ（図表3）。「〜ならば」という因果関係に重きを置いた思考法で、因果の流れがわかりやすいため、相手を説得するときに有効な方法といえる。

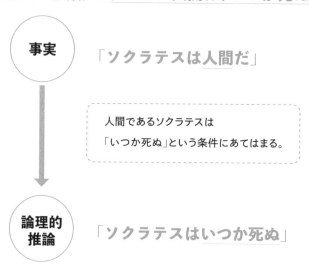

仮説（一般論）：すべての人間は、いつか死ぬ

事実　「ソクラテスは人間だ」

人間であるソクラテスは
「いつか死ぬ」という条件にあてはまる。

論理的
推論　「ソクラテスはいつか死ぬ」

もっとも、演繹法を使用する際には気をつけなければならないことがある。それは、演繹法を複雑にしすぎないことだ。演繹法を使いこなせるようになると、自分が急激に論理的になったような気分になる。そこで、このような論理をつくることがある。「AならばBである。BならばCである。CならばDである。……、YならばZである。故にAならばZである」

確かに論理的には合っているのかもしれないが、論理構造が複雑すぎて、コミュニケーションの相手が理解できない論理になっている。

演繹法、あるいはその上位概念にあるロジカルシンキングは、何のために存在するのか。それは、自分の考えを相手に正しく伝えるためだ。すなわち、コミュニケーションを円滑にするために、ロジカルシンキングも演繹法も存在している。したがって、相手が理解できない演繹法は自己満足にすぎず、その目標を達成できない論理構造になっていることになる。

外資系コンサルティング会社は、これを「演繹法の濫用」と呼び、特

にクライアントとのコミュニケーションで気をつけている。

　同様の問題がMBAの授業でも発生する。学生の発言が長すぎて意味がわからないのだ。だから、学生が長い発言をする場合、論理構造が正しくても、途中で発言を遮る。「話が長すぎて意味わかんないよ。結論は?」。気分よく発言していた学生は、急遽論理構成を変えて話そうとするが、なかなかうまくいかないことが多い。

　発言する際、情報量は少なければ少ないほどよい。聞き手や読み手が理解しやすいからだ。そして、キーワードが聞き手や読み手の印象に残りやすいからだ。

　しかし、あまりに情報量が少ないと、却って何を言いたいのかわからなくなる。だから、最適な情報量を探し出し、それを発言するようにあらかじめ準備しなければならない。

　本当に伝えなければならないことは何なのか、それをどういう順番で伝えるべきなのかを瞬時に判断し、伝えるトレーニングをすること、この繰り返しで演繹法を上手に使いこなせるようになる。MBAの発言の場では失敗も許されるので、教授に指摘されながら繰り返し練習していけばいい。

　帰納法とは、複数の事実を根拠として、結論を導く思考法である（図表4）。根拠が客観的な事実であるから、根拠は正しい。では、「結論が正しい」とはどうすれば言えるのか。それには、結論と根拠を結ぶ因果関係を明確にすることである。しかし、因果関係を明確にすることはかなり難易度が高い。なぜならば、因果関係には太さ、細さがあるからだ。

　因果関係には、太さがある。因果関係の太さとは、その原因からその結果が生まれる確率の高さのことだ。たとえば、「風が吹けば桶屋がもうかる」の論理は、以下のように論理が進む。「風が吹く」⇒「砂が舞う」⇒「砂が目に入り、失明する」⇒……（図表5）

図表4 **帰納法**

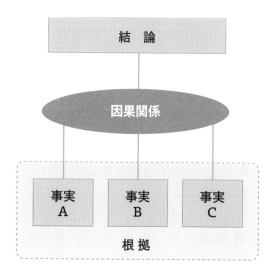

図表5 **因果関係の太さ**

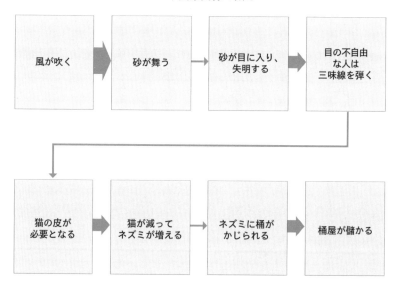

昔は舗装された道路ではなかったので、「風が吹けば砂が舞う」確率は高いだろう。だから、因果関係は太いと判断する。しかし、「砂が舞うと失明する」というのは、その可能性がないとはいえないが、確率で考えた場合、極めて低い。だから、因果関係は太くない。ということは、論理的には正しくても、発生確率の高くない結論であるということになる。

　このように帰納法で考える場合は、因果関係の正しさとともに、因果関係の太さを検討することが必要になるのだ。

　MBAでケースを分析する際に、こういう発言をする学生がいる。

　「このケースで売上が下がっている原因は、営業組織の変更で現場の営業担当者のモチベーションが下がったことだと思います」

　そんなとき、このように質問する。

　「ふーん、そうなんだ。営業担当者のモチベーションが下がったことが、売上減少に影響したのは何%くらい?」

　そうすると、学生は戸惑いながら答える。

　「え?何%ですか?わからないですけど……」

　「確かに営業担当者のモチベーションが下がったことはケースに書いてあるし、実際それで営業現場には影響があっただろう。しかし、売上減少にはさまざまな要因があるし、その要因がどれだけあるかを考えて、売上減少という結果に大きな影響を与えた要因から説明しないといけないよね。営業担当者のモチベーションが下がったことが大きな要因だというなら、それが大きな要因だということを説明しないと、相手は納得できないよ」

　このように、帰納法をうまく使いこなせるようになるためには、因果関係の太さに注目するとよい。ただ、実務の現場で因果関係の太さを重視している上司、上長はそれほど多くはない。だからこそ、MBAの授業の中でロジカルシンキングを鍛える意味が大きくなるのだ。

フレームワークの鍛え方

　MBAの中でも特に経営戦略系、マーケティング系のケース分析では、フレームワークを多用する。MBAの学生もレポートの中で数多くのフレームワークを使用しているが、正しく使いこなせず、なんとなく使用して十分な分析ができていない場合が大半だ。なぜ、そうなるのか。フレームワークを使う目的と、タイミングを理解していないからだ。

　フレームワークには、その目的に応じて使うタイミングがある。たとえば、BCG-PPMの目的は、事業を4つの象限にプロットすることにより、どの事業が経営資源を配分されるべきであり、どの事業から経営資源を配分すべきか明らかにすることにある。そして、BCG-PPMは独立性の高い事業部の壁を越えて経営資源の配分を検討する全社戦略の策定の際に使用される。

　同様に3Cにしてもバリューチェーン、5Fs、アンゾフのマトリクスにしても、いずれも使う目的、使うべきタイミングがある。

　この意識が薄いがゆえに、そのフレームワークを使うべきではないタイミングでフレームワークを使用している学生は非常に多い。そうすると、そのフレームワークからは出てこない分析結果を半ば強引に出すことになる。このような分析を続けているかぎり、機能する戦略を策定できない。

　ゴルフにたとえるならば、こういう状態だ。14本のクラブの使う目的とタイミングを理解できておらず、ティーグラウンドでパターを持ち出したり、グリーンでドライバーを持ってパットをしたりしてしまう。このような状態では、まともなゴルフにならない。

　同様に、フレームワークを使う目的とタイミングを間違っていると、機能する戦略を策定できないのである。

　だから、僕の授業の中ではフレームワークを使いこなせるようになるために、フレームワークを使う目的とタイミングにこだわる。今、何を明らかにし

たいのか、そのためにどのフレームワークを使うのかを議論する。

　詳細は次章の理論編に譲るが、フレームワークを使いこなせるようになると、検討の抜け漏れがなくなり、視野が広がり、情報の解釈、分析能力が飛躍的に向上する。この醍醐味を学生に経験してもらうことも、MBAの提供する大きな価値のひとつだ。

プレゼンテーションの鍛え方

　小学校の授業、中学校の授業、高校の授業、そして大学の授業の多くの場合、学生の発言は先生に対して届けられるものである。しかし、MBAでの学生の発言は違う。学生の発言は教授に対して、そしてクラスに参加している他の学生に対しても届けられる。なぜならば、学生の発言は、クラスの討論の素材だからだ。

　討論の素材にするために必要なことは何か。それは、誰もが理解できる発言にすることである。誰もが発言を理解できない場合、議論がかみ合わない。議論がかみ合わなければ、それは討論にはならない。

　では、どうすれば、誰もが理解できる発言にすることができるのか。発言は自分の判断、主張を行うプレゼンテーションのひとつである。そこで、ここからはプレゼンテーションの鍛え方について考えていこう。

　会議マネジメントを効率化するために、ファシリテーションの指導を依頼されることが多く、多くの日本企業で行われる会議に参加してきた。そこで痛感するのは、会議参加者がほとんど脳みそを使用していないということだ。

　名だたる業界トップの大手上場企業の会議ですら、この体たらくである。日本企業の生産性は低いといわれるが、その原因のひとつが日本企業の会議にあることは間違いない。

では、なぜ日本企業の会議は生産性が低いのか。それは、会議参加者がほとんど脳みそを使用することなく、思いつくまま気ままに発言しているからだ。

何が重要なのか、何を伝えないのかを考えることなく、思いつくままに自分の主張をしている。だから、会議に参加している他の参加者は、そのプレゼンテーションの何が重要で何を伝えているのかを明確に理解することができない。だから、議論がかみ合わず、いたずらに時間を費やす会議が日本中で行われているのだ。

プレゼンテーションの目的は、自分の判断、主張を相手に理解してもらうことである。だとしたら、必要最低限の情報を演繹法、帰納法で構成し、相手に伝えることが必要である。

MBAの学生たちは授業に参加する前に、一生懸命ケースを分析し、レポートを作成している。頑張って調べたことは、つい全部伝えたくなってしまう。だから、ダラダラと全部伝えてしまう。気持ちはよくわかる。でもそれは、相手の立場に立っていない。自分のことしか考えていない。

相手の立場に立っていれば、限られた時間の中で相手に必要な情報「だけ」を伝えるはずだ。にもかかわらず、「僕はこんなにたくさん調べたんだ。すごいでしょ！褒めてよ！」という気持ちが心の底にあるので、全部伝えるプレゼンテーションになってしまうのである。コミュニケーションは、伝えれば伝えるほど伝わらない。本当に伝えたいのであれば、できるかぎり絞って、絞って、必要なことだけを伝えなければならない。

だから、伝えることを詰め込まない。必要ない情報を捨てる勇気を持たなければならない。そして、メインディッシュだけを美味しく魅せて、楽しんでもらうことが重要なのである。この本当に相手に伝えなければならないことを、僕の授業の中ではメインディッシュと呼んでいる。

学生が互いに、「気ままにしゃべり自分が満足するプレゼンテーション」から「理解しやすい相手が満足するプレゼンテーション」を行うことができるようになることで、討論はどんどんかみ合い、議論が盛り上がる。議論

の生産性が向上し、短い時間で多くの新しい視点視座を得ることできるようになる。是非、このMBAの醍醐味を体験していただきたい。

リーダーとしてのプレゼンテーションの鍛え方

　MBAの学生たちの多くは、次世代のリーダーを目指している。プレゼンテーションはもちろん鍛えなければならないのだが、求められるレベルは、単に聞き手や読み手が自分の判断、主張を正しく理解できるレベルではない。相手の心を動かし、相手を行動させるリーダーとしてのプレゼンテーションである。では、どうしたらリーダーとしてのプレゼンテーションを鍛えることができるのか。

　ロシアの有名な演出家スタニフスキーは「話すことは、相手の心に絵を描くこと」だと指摘している。まさにそのとおりである。自分の伝えたいことが、相手の心に絵として映れば、伝えたいことは正しく伝わっているし、誤解されることもないだろう。しかし、「相手の心に絵を描く」には、「自分の脳みその中に、伝えたいことが映像化されている」ことが前提となるはずだ。
　伝えたいことがイマイチうまく伝えられない人、途中からグダグダになる人は、この「自分の脳みその中の映像化」がきちんとできていないことが多い。伝えたいことがはっきりと脳みその中で見えないので、説明ができないのだ。

　僕は大学や大学院で授業をする際に、90分または180分という与えられた時間の中で、学生たちがどこで問題にぶつかり、どこで悩み、どう解決し、どう盛り上がるかが見えている。そして、ほとんど外れることがない。言い換えれば、仮に僕が映画監督だとして、映画館に来た観客が、どこで笑い、どこでハンカチを手にするのか、どこで喜んでくれるのか、観客

の笑顔、泣き顔を含めて見えているということだ。

だから、授業をしていて、想定外がほとんど発生しない。僕の授業はケースを使用し、学生たちとの討議で進む。教壇の上に立って話をするだけではなく、僕はマイクを持ちながら大教室を縦横無尽に歩き回り、学生に質問しながら、その回答に即座にコメントしながら授業を進めていく。学生の回答によって話す内容が変わるので、授業の1秒後を予想することはできない。

しかし、僕は授業の10分後、90分後、180分後を予見できる。僕の授業の90分、180分で、僕は学生に何を伝えるべきなのか、それがすべて見えているからだ。この授業で絶対に学生に理解させなければならないこと、そのために学生に与えなければならない驚き、感動などを、どのタイミングで伝えるのがベストなのかは、事前にシナリオが描かれている。

そして、学生がどのような回答を出してきても、僕はひとつの質問に対して数十パターンのコメントを準備している。したがって、学生の回答がどうぶれるかは誤差の範囲内でしかなく、コメントに詰まることはほとんどない。

僕は自分の授業をデザインしている。だから、ぶれない。そして、延長授業をすることもない。たとえば、授業が始まってから15分後に最初の悩みを出し35分後に解決し、40分後にもっと大きな悩みが生じ、ドタバタ苦労し75分後にようやく解決し、10分でその解決方法を振り返り、最後5分はエンドロールが流れるようにするとデザインしているので、時間をオーバーする可能性は極限まで小さいからだ。

このように、何かを相手に伝えようと思ったら、自分の中で伝えたいことのイメージが明らかになっていなければならない。言い換えれば、自分の頭の中で伝えたいことを「映画化」できてはじめて、伝えたいことを伝えられるのである。

これまで検討してきたように、僕は90分、180分のステージで何を提供するのか、シナリオプランニングを行い、自分の脳みその中で「映画化」している。そこで必要となる技術がある。それは、映画を公開する前に、適切にはさみを入れる技術、言い換えれば編集の技術である。

映画を製作する際、製作者は撮り貯めたフィルムにはさみを入れ、編集を行う。これは話のつながりをよくするためでもあり、限られた上映時間の中で放映するためでもある。

僕たちの授業も同様だ。時間は限られている。大学なら90分、大学院であれば180分しかない。そこで、何を伝えなければならないのか、何が不要なのか、時間が限られることで、必要な情報と必要ではない情報が見えてくる。この必要な情報がメインディッシュだ。メインディッシュだけは絶対に学生に伝えきる。学生たちが腹に落として帰ることができるようにする。残りの情報は教室を出た瞬間に忘れても構わない。そのくらいメリハリをつけて伝えている。

つまらない授業はこのメリハリの意識が弱い。教授がダラダラと伝え続ける。だから、どの情報が重要でどの情報はそうではないのか、情報の優先順位が見えない。ダラダラと伝え続けるので、時間内に授業が終わらない。

リーダーとしてプレゼンテーションをするとき、リーダーはステージに立っている。そして、リーダーの目の前には観客がいる。その観客をどうモチベートするか、あらかじめ自分のプレゼンテーションが「映画化」されていなければならない。

そのために、主題=メインディッシュが何か、そのメインディッシュを際立たせるために、どのような副菜をどういう順番で出していくか、シナリオを考える。そして、観客の様子を見ながら、変幻自在にそのシナリオを変更していく。こう書くと大変そうだが、特段大変なことではない。観客を観察しながら、シナリオのオプションを選択し、プレゼンテーションをしていくだけのことだ。

しかし、これは場数を踏まないと上手にはならない。ビジネス実務の現場で失敗するわけにはいかないので、MBAのクラスで積極的にリーダーとしてのプレゼンテーションの機会を獲得し、トレーニングを行えばよい。

以上、この章では、読者諸氏がMBAに入学した場合、どのようにケースメソッドを使いこなしていったらよいのかということを検討してきた。次に検

討すべきは、実際にMBAのクラスで討議を行い、自分の判断、主張を行うための事前準備である。すなわち、経営戦略やマーケティングの基礎知識だ。

そこで第3章では、経営戦略やマーケティングの基礎知識を、必要最低限ではあるが、少なくともケースメソッドで戦う準備ができるよう、習得していこう。

3

理論編
—— 経営戦略とマーケティング

経営戦略とマーケティングの
基礎知識を確認しよう

　実際の授業では、初日の前半を使用し、この理論編の講義が行われる。ただ時間も限られることから、最低限の基礎知識の確認しかできない。しかし本書では紙幅をとり、経営戦略やマーケティングのケースを分析するために必要となるフレームワークや基本コンセプトを、できるかぎり解説していきたい。

　第3章の内容が理解できないまま、第4章に進んでも、十分な討議はできない。しっかりと第3章の内容を習得し、第4章に進んでいただきたい。

　なお第3章の内容は、本講義で教科書指定している『フレームワークを使いこなすための50問』『ポーターの基本戦略を使いこなすための23問』『デジタルマーケティングの教科書』（いずれも拙著）から抜粋、再構成しているものである。しっかりと学ぶためには、これらの教科書も併せてお読みいただきたい。

　「Aligning Strategy and Sales」を日本語に直訳すると、「戦略と営業の調和」ということになる。しかし、一言で「戦略」といっても、さまざまな戦略がある。経営戦略、事業戦略、サプライチェーン戦略、市場拡大戦略など、戦略を挙げれば枚挙に暇がない。

　本講義の「Aligning Strategy and Sales」で検討していくのは、「事業戦略」と「マーケティング戦略」「営業戦略」の整合性である。

　そこで、ここではまず「事業戦略」とは何なのか、「事業戦略」は「マーケティング戦略」や「営業戦略」とどういう関係にあるのかについて検討していきたい。

　ではまず「経営戦略」と「全社戦略」「事業戦略」の関係から検討していこう。

経営戦略の構造

「経営戦略」というと、ある事業をどのように成長させるべきか（どうやったら売上が伸びるのか、どうやったら利益が拡大するのか）を考えることであるかのように思われがちだ。もちろん、それも経営戦略を考えることのひとつなのだが、経営戦略はそれだけではない。

自社内に複数の事業を持っている会社も多い。たとえば、エレクトロニクスメーカーでは、PC事業部、映像機器事業部、複写機事業部など複数の事業が存在する。そのような会社では、それぞれの事業にどのように経営資源（ヒト・モノ・カネなど）を配分すべきか検討しなければならない。また、企業の成長が踊り場を迎えた場合に、今後どのように自社が成長していくべきか検討しなければならないこともある。そして、そのタイミングで自社の第二創業としてドラスティックな企業改革を行う場合もある。

通常これらの検討は、企業の中でコーポレート（本社）の「経営企画部門」が行う。従って、事業部に所属している場合はなかなかイメージしづらかったかもしれないが、これも立派な経営戦略の策定である。このように、

1 ｜ 複数の事業が存在する場合に、それぞれの事業にどのように経営
　　資源を配分するか決定すること
2 ｜ 自社の事業領域を決定すること
3 ｜ 自社の成長戦略を決定すること

を「全社戦略の策定」という。

そして、ある事業部の中で、その事業が成長する（売上が上がる、利益が拡大する）ために何をしなければならないのか検討すること、これを「事業戦略の策定」という。

したがって、経営戦略の構造は、大きく「全社戦略」と「事業戦略」に分解できるといえる（図表6）。

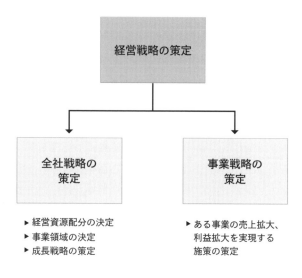

全社戦略策定で行われること

　経営戦略が全社戦略と事業戦略に分解されるとして、では全社戦略の策定では何が行われるのか。

　全社戦略の策定では、以下の3つが行われる。

1 | 複数の事業が存在する場合に、それぞれの事業にどのように経営資源を配分するかを決定すること

2 | 自社の事業領域を決定すること

3 | 自社の成長戦略を決定すること

では、それぞれの決定で使用されるフレームワークは何かを検討する。

▶全社戦略策定の目的その１：経営資源の配分

　複数の事業が存在する場合に、それぞれの事業にどのように経営資源を配分するかを決定するには、BCG-PPMが使われる。 BCG-PPMでは、 ４つのマトリックスを使って、 余剰利益の出しやすさ出しにくさ、 投資の必要性の高さ低さを明らかにする（図表7）。

　そのうえで、余剰な経営資源を、どの事業からどの事業へ振りわけるのかを考える。

図表7 | **BCG-PPM**

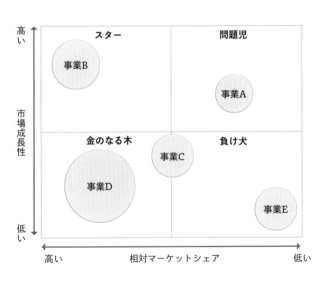

ドメインとは、日本語で「領域」という意味である。経営戦略用語としては、企業が活動する事業領域をさす。では、事業領域は、どう決定されるのだろうか。ドメイン決定については、明確なフレームワークは存在しないのだが、以下の3つの要素で検討することが多い。

1 ｜ 自社のどのような強みを生かし
2 ｜ どのような顧客に
3 ｜ どのような価値を提供するか

なぜこのような要素を検討しなければならないのだろう。それは、ドメインを決定するタイミングを考えるとよい。ドメインを決定するタイミングは大きくわけると、以下の3つの場合がある。

1 ｜ 創業のタイミング
2 ｜ 第二創業のタイミング
3 ｜ 代替製品・サービスが出てきて、また出てくる恐れがあり、競合企業や事業領域を再検討すべきタイミング

創業期に自社の事業領域を考えるのは、当たり前の話である。自社がこれから企業活動を行うに際して、どの領域でビジネスを行うのか定義しなければ、ビジネスを開始しようがないからだ。また、企業に大胆な企業変革が求められるタイミングでも事業領域の再定義が必要となる。

自社の事業領域を定義する際には、3つの要素を検討しなければならない。それは「誰が」「誰に」「何を売るか」だ。すべからく商売（ビジネス）はこの3要素により成り立っている。

したがって、創業や第2創業のタイミングでは、

1 | 「誰が」＝自社のどのような強みを生かし

2 | 「誰に」＝どのような顧客に

3 | 「何を」＝製品であれサービスであれ、どのような提供価値を移転するか

を検討することになるのである。

そして、代替製品・サービスが出てきた（くる）タイミングでも事業領域の再定義が必要となる。

▶全社戦略策定の目的その3：成長戦略

自社の成長戦略を決定する際には、アンゾフのマトリックス（図表8）というフレームワークが使用される。企業が成長戦略を検討しなければならないタイミングは、自社の成長が踊り場を迎えたタイミングだ。これまで行ってきたビジネスが伸び悩んできたときに、今後どのように自社が成長していくべきか検討するわけだが、その検討の方向性は大きくわけると以下の4つがある。

図表8 | **アンゾフのマトリックス**

	既存製品・サービス	新規製品・サービス
新規市場	2 市場開発	4 多角化
既存市場	1 市場深耕	3 商品開発

1 ｜ 既存の製品・サービスを、既存の市場（顧客）に売れないか

2 ｜ 既存の製品・サービスを、新規の市場（顧客）に売れないか

3 ｜ 既存の市場（顧客）に、新規の製品・サービスを売れないか

4 ｜ 新規の製品・サービスを、新規の市場（顧客）に売れないか

　1の「市場深耕」の領域で成長戦略を考えることは非常に難しい。なぜならば、この領域で成長が踊り場を迎えたがゆえに成長戦略を検討しなければならないからだ。この領域で成長戦略が容易に考えられるのであれば、そもそもその企業の成長は踊り場を迎えない。

　だから通常は、2の「市場開発」と3の「商品開発」の領域を最初に検討し、最後に1の「市場深耕」と4の「多角化」の領域を検討する。なぜならば、新規の製品・サービスには開発リスクがあり、新規の顧客はニーズを把握することも難しければ、新規市場にはチャネル開拓にもコストがかかるからだ。

　したがって、4の領域は当たればデカイかもしれないが、リスクも大きい。ゆえに、最初に2と3の領域を検討するのが、原理原則となる。

　2の「市場開発」には2通りの意味がある。新たな顧客属性の開発と未参入エリアの開発だ。

　新たな顧客属性の開発とは、若年層対象だったのが、シニア向けだとか、男性対象だったのが女性も含むといったような属性の広がりである。未参入エリアの開発は、ASEAN市場への参入など、多くの日本企業が正に現在チャレンジしているところだ。

　3の「商品開発」では、次々と新商品を既存市場に投入することで成長を図る。ユニクロは、機能性下着の「ヒートテック」、ブラカップ付きトップスである「ブラトップ」、本皮に質感を近づけた合成皮革の「ネオレザー」など次々と新製品を市場に投入することで成長を実現している。

事業戦略策定で行われること

これまで経営戦略の2つの要素のひとつである全社戦略の策定について検討してきた。ここからは、経営戦略のもうひとつの要素である事業戦略の策定について検討していく（図表9）。

事業戦略の策定とは、ある事業が成長する（売上が上がる、利益が拡大する）ために何をしなければならないのかを検討することである。

事業戦略を策定する際には、以下の3つのプロセスを経る。

1 ｜ 現状分析
2 ｜ 分析結果から戦略を策定
3 ｜ 策定された戦略を実行計画に具体化

まず、その事業の現状分析を行い、何が問題なのかを明らかにする。そのうえで、その問題を解決する戦略を策定し、実際に戦略をどう実行していくのか、実行計画を立てるわけである。

事業戦略の策定をする際に、いきなり戦略を策定するわけではない。まず、現状分析を行う。外資系コンサルティング会社の経営コンサルティングの現場では、この現状分析に、相当な労力と時間を費やす。

医師の診察を考えてみればわかるだろう。我々が「お腹が痛い」と現状を訴えたとき、医師は診察という現状分析を最初に行う。お腹が痛いという現状は、胃に問題があるのか、腸に問題があるのか、それとも他の臓器に問題があるのか。仮に胃に問題があるとして、それは軽い炎症なのか、潰瘍なのか、もっと重篤な症状なのか。こういった現状分析を行い、問題の真因を明らかにしたうえで、医師は、解決策を選択する。投薬で様子を見るのか、通院してもらうのか、入院してすぐに手術をするのか。

このように、医師も現状分析、分析結果から戦略を策定というプロセスを踏んでいるのである。

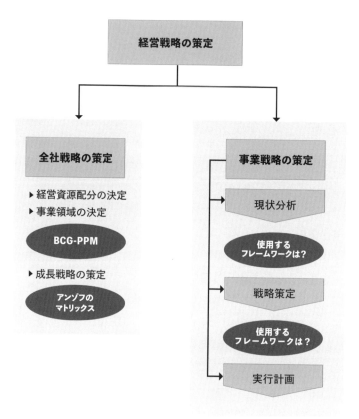

経営戦略の策定

全社戦略の策定

▶ 経営資源配分の決定
▶ 事業領域の決定

BCG-PPM

▶ 成長戦略の策定

アンゾフの
マトリックス

事業戦略の策定

現状分析

使用する
フレームワークは？

戦略策定

使用する
フレームワークは？

実行計画

事業戦略の策定も同様であり、まず現状分析を行い、問題の真因を明らかにする。そして、その真因を解決する策を策定する。この策を、世の中では戦略と呼ぶ。

外資系コンサルティング会社が経営コンサルティングサービスをクライアントに提供する際には、現状分析に70％から80％くらいの労力を割き、事業戦略の策定に20％から30％くらいの労力を割く。これは、当たり前の話であり、問題の真因を特定しないと、解決策である事業戦略を策定できないし、意味がないからだ。

このように事業戦略の策定において現状分析が重要であるということがわかると、次に問題となるのは、現状分析をどのように行うべきかである。

ここからは、事業戦略の策定における現状分析の方法を検討していく。

事業戦略策定の現状分析で使用されるフレームワーク

事業戦略の策定における現状分析では、さまざまなフレームワークが使用される。MBAではおなじみの「3C」「PEST」「バリューチェーン」「5Fs」など、ケースを分析する際に、多種多様なフレームワークが使用される。

ここで気をつけるべきは、どのタイミングでどのフレームワークを選択し、そのフレームワークによって何を明らかにするのかを常に意識することだ。この意識がないと、「ケースを分析する際に、とりあえずフレームワークを使ってみました」という分析（もどき）になり、意味のある結果を得られない。

そこでここでは、事業戦略策定の現状分析で使用されるフレームワークにはどのようなものがあり、その上位、下位の構造はどのようになっているのかを明らかにしよう。

現状分析における最上位概念のフレームワークは、3CとSWOTである。なぜなら、3CとSWOTはビジネスのプレイヤーを網羅しているからである。

ビジネスのプレイヤーとは、つきつめれば2種類しか存在しない。「売る人」と「買う人」だ。取引の対象が製品であったりサービスであったりするが、ビジネスのプレイヤーは2種類しか存在しない。「売る人」には自社と競合がいて、「買う人」は顧客だ。そして「買う人」の集合体が市場となる。

したがって、3Cの構成要素を検討することで、ビジネスの構成要素を検討できる。3Cというフレームワークを活用できるようになることが、現状

分析の最初の目標となる。

　SWOT分析では、「外部分析による機会と脅威の発見、内部分析による自社の強みと弱みの発見」を行う（図表10）。

図表10 | **SWOT分析から自社にとってのビジネス機会発見するプロセス**

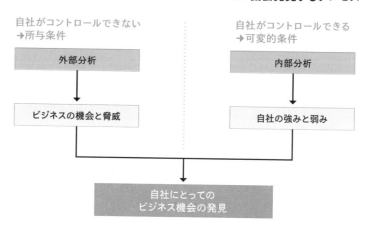

事業を行っていくうえで分析の対象となる環境は2つある。それは外部環境と内部環境だ。では外部環境、内部環境とは何か。そもそも「外部」「内部」を分ける分岐点はどこにあるのだろうか。

　「外部」と「内部」の分岐点は、自社がコントロールできる環境かどうかで決定される。外部環境とは自社ではコントロールしきれない環境、すなわち市場環境と競合環境ということになる。これらの環境は自社ではコントロールしきれないので、所与の条件として受け入れざるを得ない。その所与の条件の中で機会と脅威を発見することになる。

　内部環境とは自社がコントロールできる環境、すなわち自社の環境ということになる。自社についての条件は、自社内でコントロールできる可変的な条件なので所与の条件ではない。したがって自社の強み弱みは可変的な

ものとなる。

　このように考えていくと3C分析でもSWOT分析でも分析する要素は変わらない。市場、競合、自社を分析することになる。では、市場を分析するとき、競合を分析するとき、自社を分析するとき、どのようなフレームワークが存在するのか。

　市場を分析するときには、たとえばマクロ環境を分析するPESTというフレームワークがある。政治的要因、経済的要因、社会的要因、技術的要因を検討しながら市場を分析するフレームワークだ。

　また、市場と競合の外部環境を分析するフレームワークとして5Fs（ファイブフォーシーズ）というフレームワークがある。外部環境を分析することで競争環境のキードライバーを見つけ出し、業界の収益性を判断する。

　自社を分析するときには、バリューチェーン（VC）というフレームワークがある。企業活動を構成要素に分解し、自社のどこに強みがあるのか、また、どこが弱いのかを明らかにするフレームワークだ。ただ強みや弱みというのは、何かと比較しないと明らかにならない。だから、自社の強みと弱みを明らかにするには、競合との比較が必要になる。

　競合を分析するときに使われるフレームワークもバリューチェーン（VC）である。自社と競合の強みや弱みを分析する場合、全体を見ていても、どこがどう強く、またはどう弱いのかわからない。そこで、競合を分析する際にも、企業活動を構成要素に分解し、たとえば研究開発機能ではどちらがどう強いのか、営業・マーケティング機能ではどうかという比較をすることになる。

　したがって、現状分析のフレームワークの構造は図表11のとおりとなる。それぞれのフレームワークのカバー領域、機能を理解し、自分の脳みその中で分析フレームワークの構造を作ることができるようになってほしい。

図表11 | **現状分析のフレームワークの構造**

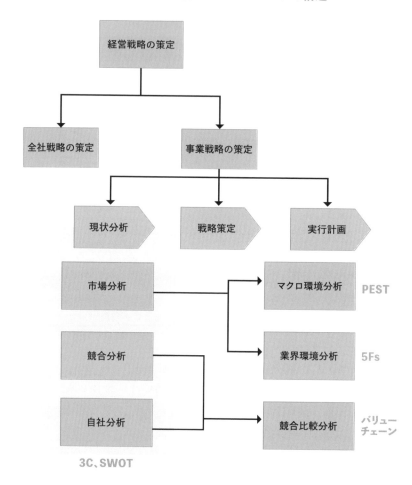

第**3**章

理論編 —— 経営戦略とマーケティング

経営戦略の策定

全社戦略の策定　　事業戦略の策定

現状分析　　戦略策定　　実行計画

市場分析　　マクロ環境分析　PEST

競合分析　　業界環境分析　5Fs

自社分析　　競合比較分析　バリューチェーン

3C、SWOT

3C分析のプロセス

　3C、SWOTが事業戦略策定の現状分析において、最上位概念のフレームワークであるとわかったが、では、どのように分析を行っていったらよいのだろうか。ここでは、その手順、プロセスについて検討する。3Cとは、市場、競合、自社である。その分析の手順は、「市場、競合、自社の順番で分析する」だ。ところがほとんどの日本企業では順番が逆で、「自社がほとんど、申し訳程度に競合、市場の分析」という状況に陥っている（図表12）。なぜこのような事態になるのだろうか。また、なぜ「市場、競合、自社」の順番で分析しなければならないのだろうか。

図表12 | **3C分析の原則と現実**

経営戦略を機能させるには、
外部環境を分析したうえで、
自社分析を行うべき

市場　競合

自社

ところが、現実は……

自社

手に入りやすい情報だけなので、情報のバランスが悪い

市場　競合

それぞれの情報の相関係が
見えない

多くの日本企業で行われている分析は、とりあえず情報を集めてそこから何か生まれればよいという考えに基づいている。そうすると集めやすい情報からどんどん集めることになる。

市場、競合、自社で一番集めやすい情報は何か。それは自社の情報である。競合の情報や市場の情報は、自社の情報と比較すると極端に集めにくい。その結果、自社の情報は随分たくさんあるのだが、競合、市場の情報は申し訳程度という場合が多いのである。

しかし、これでは3C分析をする意味がない。3C分析の目的を達成できないからである。では、3C分析の目的とは何か。3C分析で何を明らかにしたらよいのか。

3C分析の目的は大きく分けると2つある。

ひとつは多くの企業に当てはまる場合であるが、「市場の変化に対応している競合企業を見習い、自社の改善ポイントを明らかにする」ことである。もうひとつは、「市場の変化や競合の対応を見たうえでビジネスチャンスを見つけ出し、いち早くそのチャンスをつかみ自社を成長させる」こと。言い換えれば、「自社が突き抜けるにはどうしたらよいのかを考える」ことである。

受験勉強を振り返って考えてみてほしい。多くのライバルに自分が勝ち、合格を勝ち取るにはどうしたらよいのか。ひとつは、不得意な科目を人並みにしていくことである。もうひとつは、得意な科目をどんどん伸ばしていくことである。企業競争も同様であり、このどちらかまたは両方の手段を採用することで、競争力を高めていくことになる。

では、「市場の変化に対応している競合企業を見習い、自社の改善ポイントを明らかにする」にはどうしたらよいか。

最初に、市場の変化を読み取る。マクロ環境が変化し、業界内の競争構造が変化している場合、まずそれを明らかにする。そのうえで、競合企業がその変化にいかにうまく対応しているかを明らかにする。翻って自社を見た場合、どれだけ対応できていないのか、どうやれば対応できるの

かということを考える。

したがって、この場合3C分析で明らかにしたいことは以下のとおりだ。

1｜**市場の変化を明らかにし、その市場での成功要因を明らかにする**

2｜**市場の変化と成功要因に対する競合の対応を明らかにし、競合企業の成功のキモを明らかにする**

3｜**競合企業を見習い自社の改善ポイントを明らかにする**

この考え方は、市場の変化と成功要因に対応している競合企業を見習うという考え方である（図表13）。したがって、原則的には業界2位以下の企業が採用すべき分析手法となる。

では、 3C分析は業界1位のリーダー企業が採用すべき分析手法ではないのか。決してそんなことはない。業界1位のリーダー企業であっても、研究開発領域では1位ではない場合もあるし、物流領域が弱いということもある。全体で1位だとしても、企業活動のある領域では1位ではない場合も多く、そこで市場の変化と成功要因に対応している競合企業を見習うことはいくらでもできる。

図表13｜**3C分析の分析手順**

▶市場はどう変化しているのか

▶市場が変化した結果、かつての成功要因が機能しなくなっているのではないか

▶今後その市場で成功する要因は何か

市場

競合

▶市場の変化に対して、競合企業はどのように対応しているのか

▶その対応に必要な経営資源（ヒト・モノ・カネ）はどのようなものか

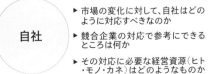

自社

▶市場の変化に対して、自社はどのように対応すべきなのか

▶競合企業の対応で参考にできるところは何か

▶その対応に必要な経営資源（ヒト・モノ・カネ）はどのようなものか

むしろ、業界1位のリーダー企業のほうが3C分析を上手に活用していることが多く、「生産管理ではまだ他の企業から学ぶことも多く、競合企業を見習って、カイゼン、カイゼンを進めていく」といったケースがよく見られる。

次に、「市場の変化や競合の対応を見たうえでビジネスチャンスを見つけ出し、いち早くそのチャンスをつかみ自社を成長させる」にはどうしたらよいだろうか。

この場合も分析プロセスは変わらない。市場の変化と成功要因を読み取り、それに対して競合企業がうまく対応できていない点は何なのか、なぜ対応できないのかを明らかにする。そのうえで、どういう経営資源で変化に対応できそうなのか、変化に対応することでどのくらいビジネスインパクトを得られそうなのか＝自社が突き抜けられそうなのかを明らかにする。

このように3C分析の目的を考えると、分析の順番は必ず「市場、競合、自社」になる。なぜならば外部環境の変化要素を検討したうえで、自社の対応を考えなければならないからだ。

この目的が理解できていないがゆえに、また無目的に情報をとりあえず収集しようとするがゆえに、多くの戦略立案担当者の分析の順番は逆になってしまうのである。

SWOT分析のプロセス

SWOT分析は、「『OT（ビジネスの機会と脅威）』を分析し、次に『SW（自社の強みと弱み）』を分析する」という手順、プロセスで行われる。

3C分析のプロセスでも検討したように、事業戦略策定における「現状分析」の目的は、以下の2つだ。

1 | 「市場の変化に対応している競合企業を見習い、自社の改善ポイントを明らかにする」こと

2 | 「市場の変化や競合の対応を見たうえでビジネスチャンスを見つけ出し、いち早くそのチャンスをつかみ自社を成長させる」こと

　したがって、3C同様、外部環境の変化要素を検討したうえで、自社の対応を考えなければならない。その結果、SWOT分析の順番は、「『OT』を分析し、次に『SW』を分析する」ということになるのである。

　では、それぞれの要素をどのように分析していったらよいのだろう。「OT」を分析するためには、3C分析の市場分析、競合分析で行うことが、その分析対象となる。ここで行われる分析はマクロ環境分析（PEST）、業界環境分析（5Fs）、顧客分析、さらにはポジショニング分析などになる。

　マクロ環境分析、業界環境分析、顧客分析でのキモは変化の臭いをかぐことだ。何が変化し、それが自社や参入している業界にとってどのような影響を及ぼすのか、そしてその市場の成功要因が何から何に変化するのかを明らかにすることが目的となる。その影響が自社にとってプラスになるものであれば「機会」、マイナスになるものであれば「脅威」になる。

　「SW」を分析するためには、3C分析の自社分析、競合分析で行うことが、その分析対象となる。ここで行われる分析はバリューチェーン（VC）分析が中心となる。

　企業活動ごとに自社と競合の機能を比較し、何が優れていて何が劣っているのかを明らかにする。ここで優劣を決める際に気をつけることがある。それは、「OT」分析から得られた成長の「機会」に貢献するような機能は優れていて、変化に対応できないような機能は劣っているという判断軸だ。

　単純に量や質の問題ではなく、外部環境の変化と成功要因に対応できる機能かどうかで優劣を判断する必要がある。

市場分析を行う目的

市場分析を行う目的は、以下の3つの内容を明らかにすることである。

1 | **市場の変化**
2 | **市場の変化がその業界や自社、競合にもたらす影響**
3 | **影響から明らかになる、その市場での成功要因**（Key Success Factor）

ビジネス環境は常に変化している。市場環境が変化をしないのであれば、これほど楽なことはない。一度ビジネスで成功を収めることができれば、その成功体験を繰り返すことで、成功の確率は極めて高くなるからである。

しかし、現実のビジネスで過去の成功体験に拘泥することは極めて危険である。市場環境は常に変化しているのに、その変化を読み取ることができずに、過去の成功体験と同様のビジネスを展開すると、むしろ失敗の可能性が高まるからである。

したがって、ビジネスで成功するキモは、まず市場の変化を読み取ることになる。では、どのような要素から市場の変化を読み取ればよいのか。

ここでは3つの要素を分析しなければならない（図表14）。

1 | **マクロ環境の変化**
2 | **業界環境の変化**
3 | **顧客ニーズの変化**

マクロ環境の変化では、大きく政治的要因や法律的要因の変化、経済的要因の変化、社会的要因の変化などを捉え、その変化が自社の業界にどのように影響を与えるのかを分析する。

図表14 | **市場分析で明らかにしたいこと**

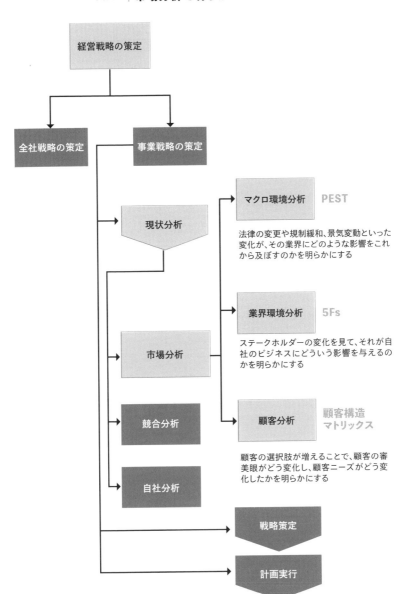

経営戦略の策定

全社戦略の策定　　事業戦略の策定

現状分析

市場分析

競合分析

自社分析

マクロ環境分析　**PEST**

法律の変更や規制緩和、景気変動といった変化が、その業界にどのような影響をこれから及ぼすのかを明らかにする

業界環境分析　**5Fs**

ステークホルダーの変化を見て、それが自社のビジネスにどういう影響を与えるのかを明らかにする

顧客分析　顧客構造マトリックス

顧客の選択肢が増えることで、顧客の審美眼がどう変化し、顧客ニーズがどう変化したかを明らかにする

戦略策定

計画実行

たとえばクレジットカード業界では、貸金業法の改正によりキャッシングにおける総量規制などさまざまな貸付条件の変更が行われることになった。その結果、クレジットカード会社内のキャッシング業務プロセスおよび、その業務を支えるシステムもまた、変更・再構築を迫られ、現場の混乱を引き起こし、事務処理ミスなどが多発している。

このように法律の変更や規制緩和、景気変動などが、その業界にどのような影響を及ぼすのかということを考えることがマクロ環境分析の目的となる。

業界環境の変化では、自社の業界に関連するステークホルダーがどう変化し、それが自社のビジネスにどういう影響を与えるのかを分析する。

たとえば、消費財メーカーの顧客である流通業の合従連衡により、流通業のメーカーに対する交渉力が高まってきている。その結果、流通業はメーカーにリベート、協賛金の供与などさまざまな要求をこれまで以上に強く求めるようになった。これが業界環境分析から明らかになる消費財業界の「脅威」だ。

これらの交渉をかわすには、最終的にカテゴリーの売上を増大する、または、店舗あたりの売上を増大する提案営業により、バイヤーとの関係を構築していく必要がある。

競合企業の中で、このような必要性にうまく対処できている企業があれば、それは参考事例になるだろう。

そして、顧客ニーズの変化により自社がどう変わるべきなのかを検討する。

日本市場が成長期にある間は、現在のように顧客ニーズを精緻に分析する必要性はそれほどなかった。というのも、市場が成長期にあるということは需要量>供給量ということであり、市場には常に製品やサービスに対する渇望感があったからである。だから、企業は製品やサービスを出せば、消費者はそれをわがまま言わず受け入れてくれた。

しかし、市場が成長期から成熟期へ移行すると状況は一変する。成熟期、衰退期であるということは、需要量<（＝）供給量ということである。

製品やサービスが市場にあふれている。一方、顧客は成長期にさまざまな製品やサービスを利用し、次第にモノを見る目が肥えている。また、多くの企業がさまざまな製品やサービスを提供してくれることで、選択肢が増え、自分の審美眼に合ったものだけしか購入しないようになる。その結果、ますます企業は顧客に迎合し、顧客ニーズにジャストフィットする製品やサービスを提供するようになるのである。そして、顧客はさらにわがままになっていく……。

そこで、企業は顧客ニーズを精緻に分析する必要が生じているのだ。顧客分析では、顧客ニーズ以外に顧客構造、購買行動などを分析する。

市場環境分析ではPEST、5Fsなどさまざまなフレームワークが活用されるが、ここではPESTによるマクロ環境分析を紹介する。

マクロ環境分析で明らかにしたいことは、政治的要因、経済的要因、社会的要因、技術的要因などのマクロ環境の変化が、自社が所属している業界に対して、また、自社に対して今後どのような影響を及ぼすのかを明らかにすることである。

キモは、「変化」と、その変化がもたらす「影響」だ。この影響によって、これまで当該業界で成功要因とされていたものが今後変わっていくのかどうかを明らかにする。また、予想される業界への「脅威」があるのであれば、それをどう回避すべきかを明らかにすることが、マクロ環境分析の目的といえよう。

マクロ環境分析は自社が所属している業界における未来の成功要因を予測するときに必要となる。単純にいうと、「未来を予測する」ときに必要となるのだ。そのため、中期経営計画策定時などには、その最初にマクロ環境分析が行われることになる。

未来予測のスパンとしては、大体3年から5年程度が多い。それ以下のスパンの場合、事業戦略策定の範疇であれば、ある程度予見ができ分析の必要はないことが多いし、それ以上になると、予想できず当たらないことのほうが多いからである。

事業戦略は、業界構造、競争環境と Alignmentされなければならない

　本授業はAligning Strategy and Salesで、 事業戦略と営業戦略、マーケティング戦略の整合性を検討するのが主目的なのだが、それだけでは足りないことが、これまでの検討で明らかになる。 なぜならば、事業戦略は、 3CやSWOTにより、市場・業界構造、競争環境にAlignmentすることで定義されるからだ。

　したがって、 本書ではこのあと実践編のパートでケースを検討していくが、そこでは、業界構造、競争環境と事業戦略がどうAlignmentされているかが、まず検討されなければならない。そのうえで、事業戦略と営業戦略、マーケティング戦略がどうAlignmentされているかを検討することになるのだ（図表15）。

図表15 ｜ **Aligning Strategy and Salesとは**

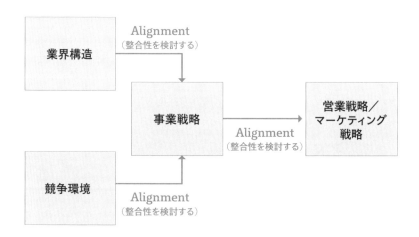

事業戦略と機能戦略の構造

　では、事業戦略とマーケティング戦略や営業戦略は、どのような関係、構造になっているのだろうか。

　マーケティング戦略や営業戦略は、機能戦略と呼ばれる。製造業を例にして考えると、ある事業を行う際には、研究開発機能があり、生産機能、物流機能、マーケティング機能、営業機能といった諸機能が活動することで、事業が成立する。

　これらの諸機能は、事業戦略が定義されることで、各機能で何を行うかが定義されることになる。したがって、事業全体の方向性を決定することが事業戦略、その事業戦略に従ってバリューチェーン上の各機能が何をするのかを決定することが機能戦略であるといえる。

　マーケティング戦略や営業戦略は、機能戦略のひとつである。ということは、マーケティング戦略や営業戦略は、上位概念である事業戦略が策定されることで、その内容が決定されることになる。

　上位概念である事業戦略の策定では、M.ポーターの基本戦略、P.コトラーの競争上の4つの地位が、事業戦略策定の基礎となる。そして、マーケティング戦略策定のプロセスでは、P.コトラーのマーケティング・マネジメントが、意思決定の基礎となる。

　そこで続いて、事業戦略の策定とマーケティング戦略策定プロセスについて検討していこう。

事業戦略の策定パターン

　戦略とは、現状分析により明らかになった問題・課題を解決する解決策

である。

　問題や課題はさまざまな形で存在し、その数には上限があるわけではない。そうするとさまざまな企業が抱える問題・課題は無限に存在するということになる。

　先に述べたように、戦略は問題・課題を解決する解決策なので、問題・課題が無限に存在すれば、解決策も同様に無限に存在することになる。そうすると、個々の問題・課題に対して、個別に解決策をゼロベースで考えていくことが必要となる。しかし、これは時間とコストが相当かかる。そして、戦略が策定されたころには機能しない戦略ができあがる。なぜならば、経営環境は常に変化しており、またその変化のスピードは過去よりも現在のほうが、現在よりも未来のほうが早いからだ。現状分析の前提条件が変化してしまうがゆえに、その前提条件を基に策定された解決策が機能しなくなるのである。

　そこで、環境変化のスピードに対応できる時間的、コスト的制約条件の中で戦略策定を行う必要がある。そのためには、すでに存在する戦略の基本パターン（定石）を利用し、乗れるところは乗り、そのうえで個別事情を勘案しカスタマイズするやり方が、現実のビジネスでは必要となるのだ。

　ここで注意しなければならないのは、戦略の基本パターンに乗り、それで満足しないことだ。戦略の基本パターンは、将棋などでいう定石と同じであり、そのパターンに乗っただけでは優位性は発揮できない。定石を守ったうえで、それを破り、離れる（守・破・離）が必要となる。

　では、戦略の基本パターンにはどのようなものが存在するのだろうか。さまざまな基本パターンが存在するが、ここでは「ポーターの基本戦略」と「コトラーの競争上の4つの地位」を紹介する。

ポーターの基本戦略

ポーターの基本戦略は、「企業の採りうる戦略は、コストリーダーシップ、差別化、集中に分けられる」というものだ（図表16）。

図表16 | **ポーターの基本戦略**

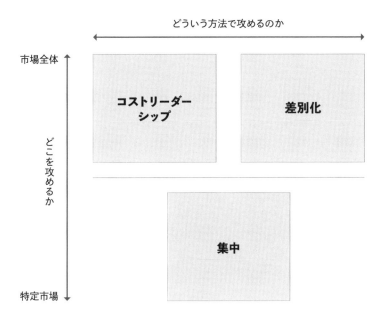

この図表を見たときには、まず真ん中に横線を引き、上下に構造を分解してほしい。その意味とはすなわち、コストリーダーシップと差別化は、市場全体を対象としている。集中は、特定市場をターゲットとしているということだ。

特定市場とは、地域であったり、顧客セグメントであったり、チャネルであったり、いろいろである。したがって、市場のマスを対象とする場合、企業が採りうる戦略はコストリーダーシップか差別化の2つにひとつ。特定市場を対象とする場合は、企業が採りうる戦略は集中ということになる。

コトラーの競争上の4つの地位

　ポーターと並ぶ戦略策定の大家として、『マーケティング・マネジメント』などの著作などがあるコトラーが挙げられる。コトラーは、戦略パターンを「競争上の4つの地位」により提示している。以下、どのようなものなのか概観していこう。

　コトラーは企業が4つの地位に分類できるという。リーダー企業、チャレンジャー企業、フォロワー企業、ニッチャー企業だ（図表17）。

　リーダー企業とは業界でシェアが1位の企業だ。

　チャレンジャー企業とは、業界2位以下の企業のうち、リーダー企業に挑戦しシェアを奪取しようという気概を持っている企業だ。挑戦の気概を持っているかどうかが重要なので、チャレンジャー企業は業界2位、3位だけに絞られない。業界下位であっても挑戦の気概があればチャレンジャー企業だし、業界2位、3位であってもリーダー企業のシェアを奪取する気概がなければ、チャレンジャー企業ではない。

図表17 | コトラーの競争上の4つの地位

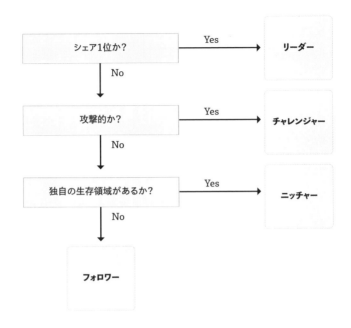

シェア1位か？ → Yes → リーダー

No ↓

攻撃的か？ → Yes → チャレンジャー

No ↓

独自の生存領域があるか？ → Yes → ニッチャー

No ↓

フォロワー

フォロワー企業とは、簡単にいうと何の特徴もない企業だ。業界1位の企業にチャレンジすることもなく、独自の生存領域があるわけでもない。

ニッチャー企業とは、独自の生存領域を持つ、言い換えると、業界1位のリーダー企業が真っ向勝負で攻めてこない領域を持っている企業だ。リーダー企業から見れば、「帯に短しタスキに長し」といった領域で生存していく企業である。

2人の学者の見解でも、合計7つの戦略パターンが存在する。それぞれの戦略を、どのようなポジションの企業が採用すべきであり、どのように自社を際立たせたらよいのか=自社の優位性を構築したらよいのかを、これから検討していく。

コストリーダーシップは製品やサービス
1個あたりの利幅を最大にする戦略

そもそも、コストリーダーシップとは、何を意味するのだろう。

コストリーダーシップとは、業界の中でコストを一番安くできるということである。その結果、製品やサービスの価格が競合企業と同じ場合、1個あたりの利幅は一番大きくなる。

では、業界の中で一番コストを安くできる企業はどういう企業か。それは市場に一番製品やサービスを提供している企業である。なぜならば、製品やサービスを提供すればするほどスケールメリットが効き、製品やサービスひとつあたりの固定費は下がる。また製品やサービスを提供すればするほど、経験曲線が効き変動費も下がる。

したがって、業界の中で一番多く製品やサービスを提供している業界1位の企業が業界の中でコストを一番安くできる、というのがポーターの基本的な考え方だ。

しかし、この考え方は正しいだろうか。かつての製造業には確かにあてはまりやすい考え方だったと思われる。コストを下げるには、規模が一番効きやすかったからだ。しかし、現実には、規模に頼らないコスト削減の方法はいくらでもある。

たとえば、以下のようなケースが考えられる。

1 | 規模はそれほど大きくないものの、サプライチェーンの合理化を進め、最適な需給管理をし在庫量を最適化し販売管理費を劇的に削減し、コストを安くする場合

2 | 業界1位の企業が人手に頼って生産を進めているところ、業界下位の企業が工場を完全ロボット化し、人手に頼らず劇的に生産コストを安くしている場合

3 | 業界1位の製品に対して業界下位の企業が製品機能を大胆に絞り込み、生産工程を標準化する場合

　したがって、スケールメリットが効きやすい業界では、原理原則があてはまりやすく業界1位企業がコストリーダーシップを採用できるということになる。しかし、現実にはどの業界でもさまざまなコスト削減の工夫をしており、原理原則があてはまらない場合も多い。自社がコストリーダーシップを採るべきかどうかを考える際には、その業界のコスト特性を勘案する必要がある。

業界1位企業が低価格戦略を採用すると市場規模を縮小させてしまう

　コストリーダーシップを採れる企業は、これまで述べてきたように、原理原則業界1位の企業である。

　業界1位の企業は、低価格戦略を採るべきではない。仮に業界1位の企業が低価格戦略を採用すると、2位以下の多くの企業がそれに追随せざるを得なくなり、市場規模を縮小させてしまう。業界1位の企業が自ら業界の首を絞め、ひいては自社の首を絞める結果となってしまうのだ。

　2000年前後にハンバーガー業界1位のマクドナルドは低価格戦略を採用した。しかし、競合も同様に低価格戦略を採用し、その結果、ハンバーガー業界の市場規模は縮小するという状況を招いてしまった。

　一方、NTTドコモは自ら率先して低価格戦略を採用しない。auやソフトバンクがさまざまな料金プランを設定してくるので、仕方なく相手をしているだけだ。しかし、コストリーダーシップとは本来、コストを抑えながらできるかぎりマージンを多くする＝価格を維持することが目的であり、NTTドコモの戦略は理にかなっているといえる。

　もっとも、コストリーダーシップを採る企業＝業界1位企業のミッションは、

市場のマスを対象とすることだ。したがって、低価格戦略を採らないからといってむやみやたらに高価格を提示するわけではなく、多くの顧客を引きつけ、十分な売上を計上できる価格に設定するのである。

　言い換えれば、マスを最大限引きつけられる上限価格が、コストリーダーシップで採用すべき価格になる。

シェア拡大を狙い、業界1位企業が一時的に低価格戦略を採用する場合もある

　このように、業界1位企業がその地位を確固たるものとして築いている場合は、率先して低価格戦略を採用することはない。仮に自ら低価格戦略を採用すると、下位企業もそれに追随せざるを得ず価格競争が生じ、市場規模を自ら縮小する結果となるからである。

　しかし、業界の競争環境が厳しく、下位企業を排除する必要がある場合は、一時的に業界1位企業が低価格戦略を採用することは考えられる。但し、その戦略は価格競争の消耗戦を生じ、その製品やサービスに対して安物のイメージを付与する危険性がある。

　一方、技術革新や業務プロセスの効率化によりコストリーダーシップを実現した企業は、原則的に低価格戦略を採用することとなる。低価格戦略を採用し市場シェアを拡大することで経験曲線・規模の経済との相乗効果を享受できるからである。

業界2位以下の企業が
差別化や集中を採用する

　経営戦略の教科書には、差別化とは「市場全体をターゲットとし、製品やサービスを差別化することにより、特異なポジションを獲得することである」と書かれている。また、集中とは「特定のターゲット顧客や、特定の地域市場、特定の流通チャネルなどに集中する戦略である」と書かれている。

　しかし、この差別化の定義は正しいだろうか。確かに、ポーターの基本戦略のフレームワークを見ると、差別化はマス市場をターゲットとしている。では、差別化はマス市場をターゲットとなしうるのか。それはできない。なぜならば、そもそも差別化は、提供する製品やサービスを他社のそれと比較して、違いを際立たせるものであるからだ。

　製品機能やサービス価値や低価格など、何らかの形でエッジを効かせるものである。ということは、万人に受ける製品やサービスを提供するということではない。だとすると、差別化はマス市場をターゲットとするものではなく、特定市場をターゲットとするものになる。特定市場=特定顧客をターゲットとするということは、それ以外の市場=顧客は捨てるということだ。

　しかし、差別化を採らざるを得ない業界2位以下の企業は、本当は業界1位の企業と競い合いたい。マス市場を狙いたいと考えているのだろう。その結果、マス市場を狙いたいのだが、差別化も実現しなければならない、その結果特定市場をターゲットとせざるを得ない、マス市場を狙いたいのにターゲット以外の顧客を捨てなければならない、というジレンマに陥ってしまうのである（図表18）。

図表18 | 差別化企業のジレンマ

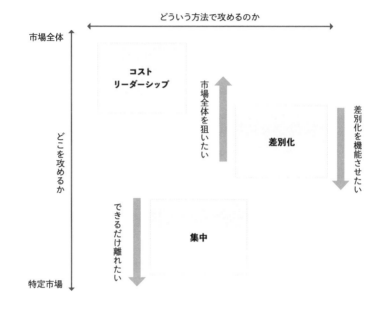

どういう方法で攻めるのか

市場全体

コスト
リーダーシップ

市場全体を狙いたい

差別化を機能させたい

差別化

どこを攻めるか

できるだけ離れたい

集中

特定市場

差別化は、本当はマス市場を狙いたい

　これまで検討してきたように、差別化は、本来はコストリーダーシップと同様にマス市場を狙うのが原理原則である。

　しかし、差別化はそもそもマス市場全体を狙うことはできない。差別化は、提供する製品やサービスを、他社のそれと比較して違いを際立たせるものであり、何らかの形でエッジを効かせるものであるから、万人に受ける製品やサービスを提供するということではないからだ。

　差別化は、本当はマス市場を狙いたい。しかし、原理原則コストリーダーシップを採れない＝業界1位企業ではないかぎり、マス市場を狙えない。だから、泣く泣く差別化を行い、マス市場ではなく特定市場をターゲットとせざるを得ないのである。

マス市場と特定市場は両立できない

　そもそも、業界1位の企業は、マス市場を対象とする。一方、差別化とは特定市場（顧客）をターゲットとする。特定市場（顧客）をターゲットとするということは、それ以外の顧客は捨てるということだ。

　業界1位の企業はマス市場を対象とするスケールメリットにより、コストリーダーシップを実現しているわけであり、特定顧客だけをターゲットとするということは、コストリーダーシップを捨てるということになる。

　したがって、業界1位の企業は、差別化を採用すべきではない。コストリーダーシップを採りながら、差別化を同時に行うことは不可能だということになる。

　しかし、現実には業界2位以下の企業が、さまざまな差別化を行い業界1位の企業のシェアを奪おうと日々切磋琢磨している。そのような環境下で、業界1位の企業はコストリーダーシップだけを採用すればよいのかというと、決してそうではない。業界2位以下の企業の差別化を無意味なものにすべきである。

　では、差別化を無意味にするにはどうすればよいのか。それが、模倣と同質化だ。業界2位以下の企業の差別化に多少出遅れてもかまわないので、その差別化の特徴を模倣し、自社の製品やサービスラインナップの中に組み込んでしまえばよい。そうすれば、業界2位以下の企業の差別化は同質化され、意味のないものとなってしまう。

松下電器の戦略は模倣と同質化

　パナソニックは、松下電器だった時代によく「マネシタ電器」と揶揄さ

れた。松下電器は、競合他社が開発し発売した新商品に対し、改良を加えたうえで模倣し、傘下のナショナル・ショップを中心とした流通チャネルで、市場に一気に普及させた。その結果、業界2位以下の企業の差別化を同質化していったことで「マネシタ電器」と揶揄されたのだ。しかし、この戦略は業界1位企業が採るべき差別化の対抗策として極めて理にかなったものであるといえる。

シャープは2004年にウォーターオーブン「ヘルシオ」を市場に投入した。それまでの家庭向けオーブンは、電子レンジのようにマイクロ波で調理を行っていた。一方、ウォーターオーブンは300度以上に加熱した加熱水蒸気で調理を行う。水で焼くため、通常のオーブンと比較し油脂や塩分を削減でき、シャープのヒット商品となった。

このヒットに対し、松下電器は2006年に「3つ星 ビストロ」を発売し対抗する。従来のオーブンレンジにヘルシーコースを搭載し、シャープの差別化を模倣し、同質化を図っている。これは松下電器の高い研究開発能力（特に開発能力）により実現されたものである。他社がエッジの効いた製品を市場に投入し差別化を図ろうとする場合、短期間でその優位性を解き明かし、改良を加え製品を市場に投入し、その差別化をコモディティ化していくわけだ。

もっとも、松下電器の研究能力も高い水準にある。斜めドラムの洗濯乾燥機など、新技術を活用した製品を他社に先駆けて市場投入するなど、必ずしも「待ち」の模倣戦略だけを採用しているわけではない。

業界1位企業が採るべき戦略は「市場拡大」と「シェア拡大」

では、業界1位企業が採用すべき戦略は、どのようなものなのだろうか。大きく分けると2つある。ひとつは、啓蒙活動を行い、**市場拡大**を図ること。もうひとつは、現市場の中での**シェア拡大**だ。

現市場のシェア拡大は、多くの日本企業にとって非常に重要な戦略である。というのも、国内市場は多くの市場が成長期から成熟期、衰退期に入っており、国内市場で啓蒙活動を行い、市場拡大を図るというのは現実的ではないからだ。したがって、業界1位企業の戦略の基本は、国内市場に限っていえば、現市場でのシェア拡大が中心となる。

　では、現市場でのシェア拡大にはどのような戦略があるのか。シェア拡大の基本は、模倣戦略と低価格戦略である。

　業界2位以下の企業は差別化により、業界1位企業のシェアを奪取しようとする。そこで、業界1位の企業は、その差別化を模倣し「有意差」をなくしてしまえばよい。そうすることで、奪取されたシェアを奪い返すことができる。

　また、コストリーダーシップは原理原則低価格戦略ではない。しかし、シェア奪取を図る場合にはコストリーダーの地位を活用し低価格戦略を図ることは有効な手段である。業界1位企業は低価格戦略を採用しても、コストが業界で一番低いので、業界2位以下の企業よりも利益を出すことができるからだ。

　ただし、業界1位企業が低価格戦略を採用した場合は、業界2位以下の企業も高価格で勝負できる差別化の手段を持たないかぎり、同様に低価格戦略を採用する。そうすると、販売数量が増加しないかぎり、市場規模は縮小してしまう。マイナス・サムゲームに陥る可能性の高い消耗戦となってしまう。

　したがって、業界1位企業の低価格戦略の採用は最後の手段であって、安易に選択すべきではないといえる。

業界2位以下企業が採るべきは「差別化」と「集中」

　業界2位以下の企業は、差別化または集中を採用せざるを得ない。コ

ストリーダーシップを採用できないのが原理原則となる。コストリーダーシップとは、業界の中でコストを一番安くできるということだ。市場に製品やサービスを一番多く提供している企業が、業界の中でコストを一番安くできる。したがって、業界の中で一番多く製品やサービスを提供している業界1位の企業が、業界の中でコストを一番安くできる、すなわち、コストリーダーシップを採用できるということになる。

　一方、集中とは、そもそも業界1位の企業とは競争しない。業界1位企業が攻め込んでこない事業領域を見つけ出し、そこでビジネスを展開するのが集中である。

　このように、業界1位企業のシェアを奪取しようと考える企業は、コストリーダーシップも集中も採用できない。したがって、差別化で業界1位企業のシェアを奪取するのが原理原則となる。しかし、差別化で業界1位の企業のシェアを奪取することは容易ではない。なぜだろうか。チャレンジャーが差別化を図ると、業界1位企業は、模倣、同質化を行って差別化の意味をなくそうとするからだ。したがって、差別化を意味あるものにするためには、業界1位企業がまねできない差別化を実現しなければならない。

成熟市場での差別化は非常に難しい

　国内市場の多くは成熟化が進んでいる。GDP成長率は、1~2％程度であり、すでにほとんどの市場は成長が止まっている。

　市場が成熟化するということは、その市場に提供される製品やサービスの質も十分に向上しているということだ。市場に提供される製品やサービスは、どれも基本機能は備え、顧客からしてみれば満足できるレベルのものなのである。

　そんな中で差別化を図ることは、非常に難しい。A製品が90点の出来、B製品が91点の出来のところを、A製品が94点を目指すようなものだ

からである。

　成長期に市場に提供される製品やサービスの質は、ピンからキリまである。したがって、A製品は60点の出来、B製品は35点の出来というケースも多い。そうした中、A製品が80点の出来を達成できれば、意味のある「有意差」を実現できる。

　先ほど、「模倣できない差別化を行うことが重要」と言ったが、成熟市場が多い国内市場では「模倣できない差別化」を行うことは非常に難しいのだ。

　フォロワーとは、業界2位以下の企業で、リーダー企業に挑戦し、リーダー企業のシェア奪取を狙わない企業である。フォロワー企業の基本戦略は、リーダーに対する同調であり挑戦ではない。マス市場の中でリーダー企業に魅力的に見えない事業領域を狙い、リーダー企業のシェアを脅かさない範囲でビジネスを行うことになる。

マーケティング戦略策定プロセス

　これまで、事業戦略の策定パターンについて検討してきた。営業戦略やマーケティング戦略は、上位概念である事業戦略により、その方向性が定義される。では、マーケティング戦略はどのように策定されるのか。ここからは、マーケティング戦略策定プロセスについて検討していく。

　フィリップ・コトラーの提唱するマーケティング戦略策定プロセスは、以下のとおりである（図表19）。

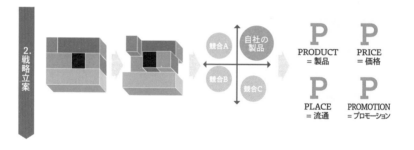

1 | マーケティング環境分析

2 | マーケティング戦略立案

3 | マーケティング戦略実行

4 | マーケティング戦略管理

　ビジネス環境に適応したマーケティング戦略を策定しないと、そのマーケティング戦略は機能しない。だから、まず環境「分析」を行う。

　そして、環境分析から有望な市場を明らかにできたのであれば、その市場におけるセグメンテーション・ターゲティング・ポジショニングを行う。こ

れでターゲット消費者は誰なのか、製品・サービスの訴求ポイントを何にすべきかが明らかになり、製品・価格・チャネル・プロモーションといったマーケティング・ミックスを「立案」できるようになる。

　もっとも、初期の段階ではこれらは仮説にすぎない。だから、立案されたマーケティング戦略を「実行」し、その戦略が正しかったのかを検証する。

　ターゲティングは適切だったか、競合製品・サービスとの違いを消費者に適切に伝えられたか、マーケティング・ミックスは機能したのかを検証する。これが「管理」である。

　このようなPDCAの一連のプロセスを繰り返すことで、次第に精度の高いマーケティング戦略を策定できるようになる。これが、マーケティングの戦略策定プロセスの全体像だ。

　フィリップ・コトラーのマーケティング戦略策定プロセスは、マーケティング担当者が、どのような段取りで何を実行していけばよいのか、マーケティング戦略が機能しなかったとき、何を検証してどう対策をとったらよいのかがわかるプロセスになっていた。だからこそ、世界中で多くのマーケティング担当者、MBAのマーケティング履修者に支持されていたのである。

　ここからはさらに具体的に、個々のマーケティング戦略策定プロセスを検討していく。

マーケティング環境分析

　マーケティングの現状分析では、PEST分析とSWOT分析を行う。
　PEST分析とは、政治的要因（P=political）、経済的要因（E=economical）、社会的要因（S=sociological）、技術的（T=technological）の頭文字を取った造語で、マクロ環境の変化を網羅的に検討し、その変

化が自社の所属する業界にどのような影響を与えるのかを明らかにするフレームワークである（図表20）。

図表20 | **PEST分析**

分析の切り口	変化例	影響例	
POLITICAL（政治的）	・法律の改正 ・政権交代 ・国際紛争	・事務処理プロセスの再構築 ・規制緩和・厳格化 ・輸出入量の増減	成功要因の変化
ECONOMICAL（経済的）	・景気変動 ・金利の変化 ・所得の変化 ・税率の変化	・需要の増大 ・消費性向の強弱 ・余暇市場の拡大・縮小 ・対象顧客の増減	
SOCIOLOGICAL（社会的）	・人口動態の変化 ・消費者嗜好の変化	・シルバーマーケット参入機会 ・グリーンコンシューマー	
TECHNOLOGICAL（技術的）	・イノベーション ・通信技術の発達 ・端末の小型化	・有機ELの実用化 ・ユビキタスビジネスへの参入 ・IoT市場への参入	

大切なことは、「変化」→「影響」→「成功要因の変化」である。

PEST分析をするときに、多くのマーケティング担当者は途方に暮れる。政治的にも経済的にも、社会的にも技術的にも、環境変化要因はいくらでも挙げられるからだ。

確かに変化を網羅的に検討すべきなのだが、すべての環境変化要因を挙げる必要はない。そうではなく、自社の所属する業界に影響を与える要因だけを挙げればよい。無限にある「変化」の中から、自社の所属する業界に影響を与える要因だけをピックアップする。これが、PEST分析の

最初のステップである。

　次に、それらの影響を与える要因から、その業界での成功要因がどう変化するのかを明らかにする。これが、PEST分析の最終ゴールである。「変化」→「影響」→「成功要因の変化」を明らかにすることで、市場の脅威、機会を明らかにすること。これがマーケティング環境分析の目的なのである。

　このように外部環境の変化から成功要因の変化を導き出し、それを所与の条件として自社の強みを活かすことができる市場はどの市場なのかを検討する。だから、SWOT分析は、分析の流れからいえば、TO（外部環境要因）WS（内部環境要因）分析であるべきだというのが、フィリップ・コトラーの主張である。

　外部環境を分析し、市場の機会を見つけ出す。このようにSWOT分析（TOWS分析）を行うことで、自社が参入を検討すべき魅力的な市場を見つける。これが、「マーケティング環境分析」である。

　魅力的な市場が見つかったら、次にその市場でどのようなマーケティング活動を行ったらよいのか、その戦略を立案する。そこで、これから、マーケティング戦略立案プロセスについて検討していく。

セグメンテーション

　ヒト、資産、カネなど、経営資源が無限にあるのであれば、魅力的な市場全体をターゲットとしてビジネスを行うことができる。しかし、多くの企業で経営資源は有限であり、だからこそ、市場全体の中から自社が勝てる可能性の高い特定市場を選択し、そこでビジネスを行わなければならない。

　また、成熟市場では消費者のニーズは分散・多様化している。だから、自社の製品やサービスの特徴を魅力的に感じてくれる特定市場を選択しなければ、その市場で成功することはできない。

　セグメンテーションを行う際に気をつけるべきは、以下の3つだ（図表21）。

1 ｜ 同質とみなしうるセグメントに分解すること
2 ｜ MECEに全体市場を分解すること
3 ｜ 適正規模に分解すること

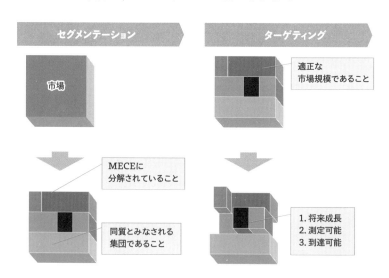

図表21 ｜ **セグメンテーションとターゲティング**

なぜ 1「同質とみなしうるセグメントに分解」しなければならないのか。

同質でないと、今後検討するマーケティング・ミックスが効く消費者と効かない消費者が混在したセグメントになってしまうからである。

プロモーションを行っても、効く消費者と効かない消費者が混在すると、そのプロモーションは非効率であるということになる。そもそもマーケティングの目的は、できるかぎり効率よく、営業部門が「楽に」製品やサービスを販売できるようにすること、言い換えれば、最少投資で最大効果を得ることである。この目的を達成するためには、同質とみなしうるセグメントに分解することで、マーケティング・ミックスが効率的に効くようにしなければならない。

もっとも、完全に同質なセグメントに分解することはできない。趣味・嗜好も完全に同じで、購買チャネルも同じで、同じ広告に興味を持つといった消費者は存在しないからだ。だから、「みなしうる」。おおよそ同質だとみなすことができる消費者の集団に切り分けること。これが、セグメンテーションの要諦なのである。

そして、2「MECEに全体市場を分解すること」。

セグメンテーションに不慣れなマーケティング担当者は、「購買力のある若者。たとえば、20代、OL、フリーター」というセグメンテーションをすることがある。しかし、これはMECEではない。MECEとはMutually Exclusive, Collectively Exhaustiveの略で、「抜け漏れがなく、重なりがない」という意味だ。抜け漏れもなく重なりもなく全体市場を細分化することで、市場を構造的に把握しようということである。

上記のセグメンテーションは抜け漏れがあるし、重なりもある。購買力のある若者でいえば、10代後半の若者が抜けている。OLには20代のOLもいるわけで、これは20代のOLが重なっている。フリーターも同様で、20代のフリーターは重なってしまう。

このようにMECEでないことの問題点は2つある。

ひとつは、属性が重なってしまうと、同質とみなしうるセグメントにしづらいことだ。20代の若者には、もちろん男性も含まれるわけで、彼らのニーズは20代OLのニーズとは異なる。したがって、後にマーケティング・ミックスを実行する際も効率的に効かせられないということになってしまう。

もうひとつは、抜け漏れが生じることで、重要なセグメントを見逃す可能性があることだ。仮に高校生の間で非常に人気になっている場合、20代ではなく10代後半の若者が重要なセグメントになる。このような問題を回避するためにも、MECEに全体市場を分解することが重要なのである。

　最後に、**3 適正規模に分解すること**。

　かつて外資系コンサルティング会社で経営コンサルティングを行っていた頃、いろいろな日本企業のセグメンテーションを見てきたが、時々「マニアック」なセグメンテーションに出会うことがあった。さまざまな細分化軸を駆使し、セグメンテーションを行う。その結果、競合企業が存在しないセグメントを発見する。しかしそのセグメントに数少ないターゲット顧客しかいないとしたら、それはそもそもビジネスにならない。

　セグメンテーションの目的は、競合企業としのぎあいをしながら、それでも、その特定市場（セグメント）でビジネスを成長させることである。だから、特定市場（セグメント）の規模は、自社がビジネスを継続、成長できるだけの規模でなければならない。

ターゲティング

　セグメンテーションが完了すると、次に参入すべき特定市場を選び出すことになる。これがターゲティングだ。ターゲティングを行う際に、重要なポイントは以下の3つである。

1 | 将来成長する特定市場（セグメント）であること
2 | 測定可能な特定市場（セグメント）であること
3 | 到達可能な特定市場（セグメント）であること

　ビジネスを継続するためには、ターゲット消費者が存在し続けてくれなけ

ればならない。ターゲット消費者がいなくなったら、そもそもビジネスを継続できないからだ。だから、今後成長する（少なくともビジネスを継続できる規模で維持される）セグメントを選び出さなければならない（1）。

　また、ターゲット消費者は測定可能でなければならない。では、何を測定可能でなければならないのか。それは、彼らのニーズだ。何らかの製品・サービスを提供する以上、それがターゲット消費者のニーズに合致していなければならない。だから、ターゲット消費者のニーズを測定できなければ、競争力のある製品・サービスを提供することはできない（2）。

　したがって、言語が通じない（翻訳できない）セグメントをターゲット消費者にしたり、文化・価値観を理解できないセグメントをターゲット消費者にすることはできないのである。あくまでも、ニーズを把握できるセグメントをターゲットセグメントにしなければ、その後のマーケティング・ミックスで製品戦略やプロモーション戦略を考えることができなくなってしまう。

　最後に到達可能なセグメントでなければならない。いくら将来成長しそうなセグメントで、ニーズを把握でき、そのニーズに応えられそうなセグメントであったとしても、そこに到達可能でないと、せっかくの製品やサービスを使ってもらえない。だから、自社の製品やサービスが到達可能なセグメントでなければならない（3）。

　このように、将来成長するか、測定可能か、到達可能かという観点から、自社の経営資源を勘案し、ターゲットセグメントを選び出す。これで、ターゲット消費者が決まる。ここでもし、競合企業がいないのでれば、殿様商売が可能である。ターゲット消費者は自社の製品・サービスにニーズがあり、それを選択せざるを得ないからだ。ところが、世の中そんなに甘くはなく、多くの特定市場では、競合企業が存在する。だから、競合企業との違いを明らかにして、ターゲット消費者に自社の製品やサービスを選んでもらわなければならない。これがポジショニングである。

ポジショニング

　ポジショニングとは、ターゲット消費者に自社の製品・サービスと競合企業の製品・サービスの違いを理解してもらい、自社の製品を選んでもらうための工夫である。違いを理解してもらうためには、自社の製品・サービスの訴求ポイントを明確にしなければならない。

　訴求ポイントとは、言い換えれば、自社の製品・サービスの「強み」だ。だから、ポジショニングの出発点は、自社の製品・サービスの「強み」を明らかにすることから始まる（図表22）。

図表22 | **ポジショニングの3STEP**

STEP1

・ターゲット消費者のニーズを
　把握する

STEP2

1. 消費者のニーズに応える自社の
　強みをたくさん出す
2. たくさん出た自社の強みから、
　「最強の2つ」を選び出す
3.「最強の強み」とは、他社との「違
　い」が際立つ強みのこと

STEP3

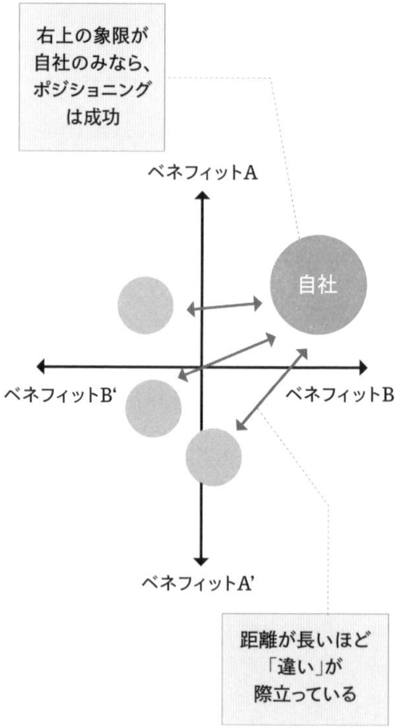

右上の象限が
自社のみなら、
ポジショニング
は成功

ベネフィットA

自社

ベネフィットB'　　ベネフィットB

ベネフィットA'

距離が長いほど
「違い」が
際立っている

「強み」とは何か。言い換えれば、何が自社の製品・サービスの「強み」になるのか。それは、ターゲット消費者のニーズに合致している要素である。

　だから、ポジショニングは、絶対にセグメンテーション、ターゲティングの前には行わない。ターゲット消費者が明らかになり、そのニーズが明らかになって初めて、自社の製品・サービスの「強み」を明らかにできるからだ。

　そして、まず自社の製品・サービスの「強み」をできるかぎり多く列挙する。「強み」を列挙できたら、その中から最強の2つの「強み」を選び出す。

　最強の「強み」とは何なのか？それは、競合企業の製品・サービスとの「違い」が一番大きなものである。単純に技術や機能で優れているかどうかということではない。たとえば、自社の製品の機能が95点で、競合企業の製品の機能が93点なのであれば、そこにはほとんど「違い」がない。ターゲット消費者の視点から見れば、「両方優秀だ、あまり違いはない」ということになる。これは最強の「強み」ではないのだ。自分も強くてライバルも強い要素は強みではない。

　「強み」とはライバルと差をつけられる要素である。だから、最強の2つの「強み」とは、競合企業の製品・サービスとの「違い」が一番大きなものなのである。

　最強の2つの「強み」を選び出したら、それをポジショニングマップにプロットする。最強の「強み」をうまく選び出すことができていたのであれば、右上の自社の製品・サービスがプロットされている象限には、ほとんどライバルがいないはずだ。これが上手なポジショニング。自社の製品・サービスがプロットされている象限にライバルが多くいる場合は、上手なポジショニングではないので、もう一度「強み」を検討し、選びなおすことになる。

マーケティング・ミックス

これでようやくSTP（セグメンテーション・ターゲティング・ポジショニング）が完成した。そうすると、マーケティング・ミックスは自ずと決定されていく（図表23）。

図表23 ｜ **ターゲティングとポジショニングがマーケティング・ミックスを決定する**

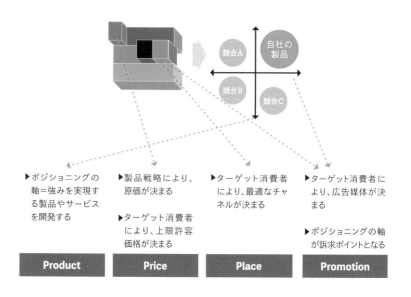

▶ポジショニングの軸＝強みを実現する製品やサービスを開発する

▶製品戦略により、原価が決まる

▶ターゲット消費者により、上限許容価格が決まる

▶ターゲット消費者により、最適なチャネルが決まる

▶ターゲット消費者により、広告媒体が決まる

▶ポジショニングの軸が訴求ポイントとなる

| Product | Price | Place | Promotion |

ポジショニングで、ターゲット消費者に訴求するポイントはすでに決まっている。だから、その訴求ポイントを実現する製品・サービスを開発すればよい。これで、マーケティング・ミックスの製品戦略の方針は確定する。

製品戦略の方針が確定すれば、製品原価が確定する。またターゲティングによりターゲット顧客が明らかになっているため、その上限許容価格も想定される。したがって、製品原価すなわち最低価格と上限許容価格すなわち最高価格のレンジが明らかになり、価格戦略の方針も確定できる。

ターゲティングにより、ターゲット消費者が明らかになっているので、彼らに製品・サービスを最適に届けるためのチャネルも明らかになる。これで、

チャネル戦略の方針も確定できる。

　ターゲティングによりターゲット消費者が明らかになっているし、ポジショニングにより訴求ポイントが明らかになっているので、どういう媒体でどんなコンテンツでターゲット消費者にプロモーションすればよいのかが明らかになる。したがって、プロモーション戦略の方針も確定する。

　このように、マーケティング・ミックスはSTPで明らかになったターゲット消費者に訴求する価値を実現し、知らせ、届けるための手段である。だから、STPが決定される前にマーケティング・ミックスが検討されることはない。STP決定後に、マーケティング・ミックスを検討し、マーケティング戦略が立案されるのである。

理論をケースで駆使する

　これまで「Aligning Strategy and Sales」を受講する準備として、「事業戦略」とは何なのか、「事業戦略」は「マーケティング戦略」や「営業戦略」と、どういう関係にあるのかを検討してきた。ケースを分析するために必要なフレームワークは、最低限学ぶことができたことになる。では、そのフレームワークをケースにどう適用し、何を明らかにしていったらよいのか。いよいよ、実践編に入っていこう。

　もっとも、それぞれのケースでさらに学ぶべきフレームワークもあるので、それは個別のケースで追加解説をしながら適用していこう。

　それでは、実践編のスタートである。

4

実況中継編

——経営戦略とマーケティング

それでは、いよいよAligning Strategy and Salesの
授業を始めていくが、MBAの学生はまずケースを読み込む。
そして、アサイメントに対するレポートを作成し、授業に臨む。
そこで本章では、まずケースを読み込み、
アサイメントに自分なりのレポートを作成したうえで、
実況中継に進んでいってほしい。
まずは第1講のケースである　「IBMの企業再建」だ。

第1講｜IBMの企業再建

HARVARD | BUSINESS | SCHOOL

9-608-J01
REV. NOVEMBER 14, 2000

ROBERT D. AUSTIN
RICHARD L. NOLAN

IBM の企業再建

1990 年、IBM は収益面で世界第二位の企業であり、売上高 690 億ドルで 60 億ドルの純収益をあげていた。さらなる成功をめざす同社の改革は完了しつつあった。今後もめざましく成長する業界のワールド・リーダーにとって、将来の見通しは非常に明るいと思われた。

しかし IBM では万事がうまくいっているわけではなく、社内の一部の者はそれに気づいていた。当時のカナダ IBM のゼネラル・マネジャー、ビル・エサリントン（Bill Etherington）は、上級管理者の間に広まっていた慎重ムードについて次のように説明している。

私たちは誰も事態をしっかり把握していると感じていなかったと思います。1990 年当時、業績は上向いており、我々はかなり満足していましたが、根の深い構造的問題があることが分かっていたため、最高の気分とはいえませんでした。

その構造的問題は、予想よりも早く、また懸念していた以上に無残な形で明らかとなった。1991 年第 1 四半期に、同社は多額の損失を計上した。1991 年から 1993 年まで、IBM は、いかなる企業でも長期間は持ちこたえられないほどの恐るべき速さで赤字を累積していった。3 年間の赤字は約 160 億ドルという驚くべき金額であった（**資料 1** 参照）。

それは非常に不透明な、非現実的ともいえる時期であった。同社の長い栄光の歴史の中で、困難な時期はあったが、これほど深刻ではなかった。記録的な赤字が膨れ上がり、株価は急落した（**資料 2** 参照）。CEO 後継者として確実視されていた二人が会社を辞めた。一人は自分の選択で会社を辞めた。もう一人は、別の幹部の言葉によれば、「（CEO のジョン）エイカーズ（Akers）の心を安らかにするために」、解雇された。1992 年 4 月、エイカーズは、同社の訓練計画の視察の折にいら立ちを爆発させ、「社員は我が社がどれほど大きなトラブルに巻き込まれているか気づいていない」と発言した。この感情の爆発は新聞に報道され、従業員と株主の信頼を揺るがした。

それからちょうど 1 年後、IBM の取締役会は、当時 RJR ナビスコの CEO であったルー・ガースナー（Lou Gerstner）（1965 年、MBA）に経営を委ねた。中には、技術的なバックグラウンドのない"経営者"がハイテク巨大企業を救済できるのかと疑問視する者もいた。しかしガースナーと何人かの新しいメンバーを含むマネジメントチームは、確実に同社の経営再建を可能にした。1994 年、IBM は再び黒字に転じた。そ

Case # 608-J01 は、HBS Case # 600-098を日本語に翻訳したものである。HBS Case # 600-098は、Robert D. Austin教授とRichard L. Nolan教授が作成した。HBSのケースはクラスでの討議資料とする目的のみをもって作成される。ケースは当該企業に関する保証や情報の出所ではないし、また、経営管理の適否の例示を目的としたものではない。翻訳はハーバード・ビジネススクールの許諾に基づいて、慶應義塾大学ビジネス・スクールが行った（監修は小林喜一郎教授）。なお、その一部を、ハーバード・ビジネス・スクール・パブリッシングの委託により、日本ケースセンター©（財団法人日本産業訓練センター内）が改訂した。（2009年8月）

https://casecenter.jp/case/CCJB-HBS-70250-02.html

CASE

　1990年、IBMは売上高690億ドル、純収益60億ドルをあげ、収益面で世界第2位の企業であった。ところが、1991年第1四半期に同社は多額の損失を計上した。以後も赤字を累積し、1993年まで3年間の赤字は約160億ドルに上った。翌年、IBMの取締役会は当時RJRナビスコのCEOであったルイス・ガースナーに経営を委ねた。ガースナーと何人かの新しいメンバーを含むマネジメントチームは確実にIBMの経営再建を可能とし、1994年、IBMは再び黒字に転じた。IBMはどのようにして目覚ましい経営再建を可能としたのだろうか。

IBM小史

　IBMは1890年から操業していた計算・作表・記憶（CTR）を扱う三つの企業の合併により、1911年に設立された。3年後、トマスJ・ワトソン（40歳）が入社し、まもなく社長に就任。IBMを歴史的に有名にしたダークスーツの営業マン、プライドと企業への忠誠心の強調、暗黙の終身雇用、"THINK"で表される企業倫理など多くの施策を実行した。

　同社は国際的に事業を拡大。1924年に現在の社名を採用した。1952年のコンピュータ時代の幕開けとともにワトソンは息子のトマス・ワトソンJr.に経営権を引き継いだ。

　ワトソンJr.の下、IBMは世界最大のコンピュータ会社にのし上がった。1980年代になるとIBMはまさに米国のモデル企業となった。利益面でも収入面でも一貫して世界のトップ企業のひとつに数えられた。

▶コンピュータ産業の発展、1981〜1996年

　1981年、IBMはパソコン（PC）を発売した。パソコンの機能が向上し、価格が低下するにつれて、利用者が増えた。金額ベースで1984〜1989年に74％の累積年間成長率（CAGR）で増加し、1980年代末には500億ドルの市場を創出し、他のすべてのコンピュータ市場セグメントを追い抜いた。

　パソコンを「ネットワーク化」して簡単に情報交換ができるようになると、用途を拡大することが可能になった。ユーザーとのインタラクションのための装置である「クライアント」と、大量の処理作業をさばくより強力バックオフィス機器である「サーバー」として機能するようになった。クライアント／サーバーモデルは一般により経済的でフレキシブルであると見られるようになったため、メインフレーム・コンピュータの売上高は低下した。

　それまでメインフレームはIBMの収入のほぼ半分を占め、収益の70〜80％を稼いでいた。IBMのメインフレームは独自技術に基づいており、50％を上回る粗利益をもたらしていたが、クライアント／サーバー技術はより「オープン」であり、他の業者の製品と相互に使用され、それほど大幅な粗利益は見込まれなかった。

　1990年代半ばにはインターネットとワールドワイド・ウェブが出現した。Javaやその他のウェブに焦点を合わせたプログラミング言語の出現は、増加するコンピュータ機能をネットワーク経由で簡単に提供することを促進した。

　技術面では、IBMはクライアント／サーバーやインターネット革命に参加できる有利な立場にあった。しかし実際問題として、管理者たちは代替技術を後押しすることによってメインフレームの売上を侵食する気にはなれず、ただ事態を見守った。

▶衰退と初期の立ち直りの努力：1991〜1992年

　1984年にはIBMは世界の情報産業の利益の70％を獲得していた。

1980年代を通じて黒字経営を続けていたが、売上高収益率、資産収益率、自己資本利益率は1984年をピークに低下した。低下の一因は歴史的にリース中心であった事業を販売中心の事業に転換したことだった。

現在、ソフトウェア担当上席副社長のジョンM．トンプソンは次のように説明する。

「たとえば、システム1基で毎月10万ドルを得ていた場合、それが突然、500万ドルの売上高と毎月1万ドルのサポート料という形に代わります。ネットの収入増のように見えますが、毎月入ってきたリース収入を犠牲にして得たものです」

外国企業はより早く市場に製品を出し、価格も競争力があった。IBMの新製品の一部は失敗に終わり、調査では顧客関係も悪化していることがわかった。製品ライン間で互換性のないことが顧客の苛立ちの大きな原因であった。メインフレームは先端技術との同時使用が不可能であった。

CEOのジョン・エイカーズは製品の競争力を高め、顧客関係を改善し、効率性を強化するための計画を立案した。1990年、改善計画は成果を上げているように思われた。しかし、成功への復活は短命であることがはっきりした。1991年第1四半期にカナダIBMがIBMの歴史上初めて赤字に陥ったのである。

第一の問題は、IBMの中心である大型コンピュータの需要が急速に低下していたことである。現在、技術・生産担当上席副社長をつとめるニック・ドノフリオが言うように、「金のなる木の生長が止まってしまった」。IBMは「クライアント／サーバー・コンピューティングについては非常に否定的だった」と現在戦略担当上級副社長をつとめるブルース・ハレルドは述べている。

IBMの製品開発担当者がより小型のコンピュータの脅威と戦う決意を固めたときでさえ、彼らはしばしば考え違いをしていた。デジタル・イクイプメント社の中型製品で幅広い人気を得ていた「VAX」に対抗すべく設計されたコンピュータシステムも失敗に終わった。中型製品市場であるにもかかわらず、価格設定やコスト構造の面でメインフレームの考え方を踏襲していたからだ。

IBMの問題の中心には、同社がますます複雑化しているという事実があった。IBMには20の独立した事業部があり、全体で5000種類のハードウェア製品と2万種類のソフトウェア製品を販売していた。全く同じ目的に使われる部品でありながら、デザインがまちまちであったり、全社において同じことを行うのに多くの異なる事業手続きが存在することがあった。

エイカーズとそのチームは、コスト削減の努力を強化した。37億ドルのリストラ費用が計上され、メインフレーム事業に焦点を合わせた人員削減が始まった。IBMの歴史上初めて、従業員が解雇された。

PC部門を分離独立させる話は会社を分割する話に発展した。1992年、IBMコーポレーションの分割計画が本格的に始まった。社内では分割に備えて何をする必要があるかと四六時中議論するようになった。

1991年5月、IBMはITサービス市場に進出した。暗い状況の中の一筋の光明であったが、当時、社内でこの事業の成長性を見抜いていた者は少なかった。1992年にはコスト削減が加速し、さらに強制退職が実行された。1993年初頭までの削減人員総数は4万を超えた。

はびこる官僚主義が意思決定の妨げになっていた。上級管理者の決定は委員会により行われ、一人の委員の「不賛成」によって全体の合意が却下される場合もあった。上級管理者の会議の前には、いくつもの「予備会議」が行われ、スタッフがそれぞれの立場を調整していた。

▶新しいリーダーシップと回復：1993〜1994年

1992年11月、取締役会は新しいCEOを探しはじめた。1993年4月、ルイス・ガースナーが新しいCEOに就任した。ガースナーはRJRナビスコの取締役会会長兼CEOを4年間、アメリカン・エキスプレスの最高幹部を11年間つとめ、その前はマッキンゼーのコンサルタントをしていた。

ガースナーは就任早々、IBMの上級管理者に強い印象を与えた。顧客会議の全日程に参加することを宣言。「CEOの行うもっとも重要なこと

は、顧客と会うことだ」としたのである。

　ガースナーは各上級管理者に対し、二つのレポートを書くように求めた。ひとつは、その管理者の仕事について、もうひとつは、会社の事業全体を好転させるために何をなすべきと考えているか、であった。

　レポートを利用し、各管理者と一日を費やして事業について話し合った。同時に、業界のリーダーや顧客を訪問した。

　彼は、社外の訪問を重ねるうちに、すでに進んでいたIBM分割計画を考え直すようになった。ガースナーは顧客から聞いたことを次のように要約している。

　彼らが繰り返し言ったことは「IBMがやっていて他社にできないことはただひとつ、我が社を統合的に見て、ソリューションを創出するよう支援することだ」。また彼らはIBMをグローバルな会社と見ている。単に製品の統合や解決策の問題ではない。それは「ウチは世界中でIBMを利用している」ということだった。

　このメッセージはIBMの元顧客としてのガースナー自身の経験とも一致していた。RJRで製造工程を自動化しようとしていた頃、マッキンゼーが戦略を構築し、アンダーセンが情報機器配置戦略を立て、IBMが機器配置に必要な技術を考えるというプロセスを踏んでいた。一社にまとめて相談できないことをガースナーは奇妙だと感じていた。

　グローバルな解決策を統合し提供する能力はIBMの特質である、とガースナーは決断を下し、分割を行わないことを決めた。「ひとつのIBMとしてやっていく」という概念が再建計画の最重要項目となり、すべての計画の推進力となった。ガースナーが掲げた「IBMの八つの原則」では、統合、コスト削減、顧客重視への回帰、より機敏に動く組織が強調された。

　コスト削減に関しては、経費の対収入比率が当時42％であったものを9％削減することを目指した。販売管理費と研究開発費の合計額は268億ドルから200億ドルに削減する必要があった。1993年初頭に4万～5万人のレイオフが承認されていたが、さらに3万5000人に退職勧告を行うことを決定した。非コア事業を売却した。これらの活動の結果、1993年第4四半期に3億8200万ドルという小幅な黒字を計上することができた。

1993年秋、ガースナーはIBMの組織改革を行い、ひとつのグローバルな組織にまとめた。 1994年冬には販売組織に目が向けられた。 それまで地域別であった販売組織をグローバル化した。 取締役会もリストラを免れなかった。 この頃には、数人の取締役が辞めたため、取締役会の規模は3分の1縮小され、数人の新しい取締役が加わった。

　この組織改革はIBMの全員に歓迎されたわけではなかった。 改革に対する管理者の抵抗は全体的な問題だった。 社内には一部の物言わぬ抵抗者が居残り、 もう一度クーデターが起きることを期待していた。 しかし、時の経過とともに、大多数は改革に適応し、もしくは辞めていった。

　ガースナーはブランドの再構築にも着手した。 1993年初頭には、顧客の不満が高じ、IBMのブランドは大きく損なわれていた。 5月、この問題に取り組むために、アメリカン・エキスプレスでガースナーと一緒に仕事をしていたアビー・コーンスタムが採用された。 コーンスタムはこれまでの広告活動の見直しを始めた。

　1994年5月、IBMは約5億ドルに上る全広告費を40社の広告代理店からオギルビー・アンド・マザー・ワールドワイドに集中することにした。 1994年末には、この改革により、「小さな惑星のためのソリューション」というキャンペーンが生まれ、評論家から激賞された。

　個々の製品ブランドにもかなり問題があることがわかった。 1994年1月、ガースナーはパソコン事業部の最高責任者として、ナビスコ、アメリカン・エキスプレス、マッキンゼーで彼の元同僚であったリック・トーマンを採用した。 トーマンはパソコン事業部のほとんどのブランドを廃止し、後に大ヒットした 「Think Pad」 だけをノートパソコン事業のために残した。

　1994年から1995年にはインターネットが登場し、 製品戦略を考え直さなければならなくなった。 1995年11月、 コンピュータ業界最大の見本市「COMDEX」において、ガースナーはサーバーとネットワークに基づく新しいビジョンを発表し、それを 「ネットワーク中心のコンピューティング」 と称した。

　1994年半ば、IBMのサービス事業は予定よりも丸18カ月も早く100億ドルの収入目標を達成。 1995年は約720億ドルの収入で収益は42億ドル

に増加し、IBMの回復が本物であることを立証した。ガースナーは新しい戦略を備えた見通しの明るい新生IBMが見えてきたと確信していた。

将来に向けて

　ガースナーのリードする経営再建では、多くの業務が再び中央集権化し、これは同社の差し迫った病弊を直すには明らかに効果があった。
　ガースナーはIBMの状況と、今後取り組まなければならない課題について、次のように説明した。

　我々はこの会社をこれまでどおり一体化していきます。顧客はそれを望んでおり、我々にそう伝えてきたのです。またそれは戦略的に大いに理にかなっていました。細かな事業を手掛けることができる会社は何千もあります。しかしIBMのような会社は他にありません。すべてを統合できる会社は他にないのです。「我々はひとつの会社である」というこの概念を実行することが、戦略の観点から見て、プロセスの観点から見て、文化の観点から見て、またシステムの観点から見て、チャレンジとなっています。これが本当の問題なのです。

アサイメント

　さあ、ケースを読み終わったところで、本ケースに対するアサイメントをご覧いただこう。このアサイメントをそれぞれ検討したうえで、以下の実況中継を読み進めてほしい。アサイメントを検討するためには、再度ケースを読みこなさないといけないことも多いはずだ。

何度もケースとアサイメントを行き来し自分なりの見解ができたらこの先を読み進めていこう。

第1講 | アサイメント（課題）

☑ 市場が変化することで、
　Key Success Factorはどう変化しているか

☑ 成功要因の変化から
　どんな洞察を導き出すか

☑ 1991~1992年におけるIBMの問題は何か

☑ ガースナーはなぜIBMを分割せず、
　「ひとつのIBM」でやっていったのか

☑ ガースナーの戦略に
　マーケティングはどう対応しているか

市場が変化することで、
Key Success Factorはどう変化しているか

牧田 ｜ では、ここからIBMのケースについて議論を進めていきましょう。ま
ず、皆さんに考えていただきたいテーマは「市場が変化することで、Key
Success Factorはどう変化しているか」。IBMは時代ごとに提供する製品
やサービスが変わっていきますね。そうすると、所属する市場が変わる。
その変化に伴い、Key Success Factorはどのように変わっていったかを確
認していきたいわけです。

　IBMが所属するのは何市場か。この部分はケースに書かれていることだ
から先に確認してしまうと、こうなります（図表24）。

図表24 ｜ **IBMが所属する市場**

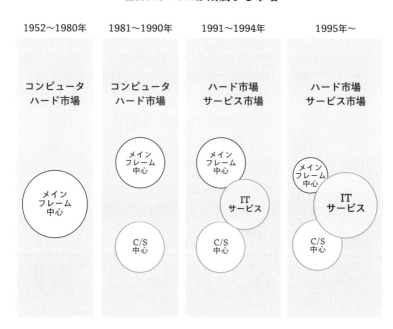

1952年から1980年まで、IBMはメインフレームという大型のコンピュータ事業が中心で、コンピュータハード市場に所属。1981年から1990年に所属していたのもコンピュータハード市場。ただし、メインフレームだけでなく、クライアント／サーバーシステムも製造・販売するようになっていますね。

　1991年から1994年、ルイス・ガースナーがやって来た頃にはメインフレーム、クライアント／サーバーに加えてITサービスも手掛けるようになっていました。ITサービスにはさまざまなものが含まれます。ソフトウェア開発もあるし、コンサルティングもあります。この時期に所属していたのはハード市場とサービス市場です。1995年以降は、そのITサービスが中心となります。市場としてはハード市場、サービス市場に所属しますが、サービス業のほうがメインになっていきます。

　このように、IBMが手掛ける事業は徐々に変わってきたわけです。

　では、それぞれの時代の中心となっていたメインフレーム、クライアント／サーバー、ITサービスといった事業で、IBMはなぜ成功することができたのか。Key Success Factor、成功要因を挙げていきましょう。

　まずはメインフレームで考えてみますよ。メインフレーム事業での成功要因、何だと思いますか。

A｜メインフレームという精密な機械を開発し、製造する能力を持っていることです。

牧田｜それは最低限のラインだよね。モノをつくれる能力があるというのは。どの企業もまともなモノをつくって商売をするわけで、それだけでは成功要因にはならない。では、つくったうえで、どうすることが成功要因になるんだろう。

B｜品質がよくて安定的に稼動すること。

牧田｜高品質で安定稼動することが成功要因ね。確かにそうですね。品質が向上途中にあるときには、それも成功要因になりうる。

C｜私は、顧客との情報の非対称性が成功要因かと思います。

牧田｜ほう……。それはどういうことだろう。

C｜顧客はメインフレームについては詳しくは知りません。詳しく知っているのがIBMだというところに成功要因があるのではないかと思いました。

牧田｜面白いね。情報が非対称で、IBMはよくわかっているんだけれど、顧客はわかっていない。そういうものをつくり続けることが重要だと。はい、では次にクライアント／サーバーの成功要因は何でしょうか。

D｜小さくて軽いこと、それからよりオープンで互換性が高いことだと思います。

牧田｜そうだね。今までは大きくて重かった。勝負の軸が変わってきたね。

E｜私はシェアを伸ばすことが大事だと思います。クライアント／サーバーというのは、組み合わせで技術的な問題が起きたりするので、シェアが高いと、それだけ他の人も同じものを使うようになります。

牧田｜シェアが高いと互換性を担保できるということだね。依然としてハード市場に所属しているわけだから安定性や品質も重要ですが、それに加えて軽さ、安さなども求められるようになってきていると。なんか求められることが増えてきたね。IBMはどちらに軸足を置いたらよいんだろう？　それはこの後のアサイメントで考えていきましょう。

　では、ITサービスの成功要因は何だろう。

F｜IBMのプロダクトのシェアが高かったので、そもそも顧客からサポートのニーズがあったと思います。そういうニーズに合わせてサービスを提供することができたのが大きかった。

牧田｜顧客のニーズを把握する力があることが成功要因だというわけだね。

G｜今の意見にかぶせるような形ですけど、顧客からのサポートのニーズがあるということは、それまでにIBMを選んで購入してもらっているということであり、「IBMに頼めば何とかソリューションを出してくれる」という信頼性、ブランド力を持っていたことが成功要因になっていたのだと思います。

牧田｜ブランド力って一言で言うけど、何言ってるかわからないよね。その中身は何なのか。今回の話だと、ソリューションを出す、問題解決力がありますよ。ということになるわけだよね。今の皆さんの議論をまとめると、このようになる（図表25）。

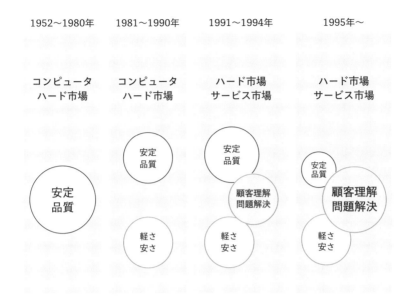

図表25 | **それぞれの市場での成功要因**

| 1952〜1980年 | 1981〜1990年 | 1991〜1994年 | 1995年〜 |

コンピュータ
ハード市場

コンピュータ
ハード市場

ハード市場
サービス市場

ハード市場
サービス市場

安定品質

安定品質

安定品質

安定品質

顧客理解
問題解決

顧客理解
問題解決

軽さ
安さ

軽さ
安さ

軽さ
安さ

成功要因の変化からどんな洞察を導き出すか

牧田｜はい、いろいろと「雲」が出てきたね。ここからは「雲」「雨」「傘」を考えていきますよ。この成功要因の変化、つまり「雲」から、皆さんはどんな洞察を導き出すのか。どんな発見をするんでしょうか。

｜｜IBMは、モノ売りから、ソリューションビジネスという、コト売りの事業に変革を遂げて企業再生していきました。

牧田｜メインフレームのビジネスというのはモノ売りだよね。製造業。情報の非対称性を使って、スキルを自分の会社の中に置いておけば成功できるという時代があった。ところが、オープンな時代になっちゃった。市場が変化し、Key Success Factorが変化する中で、IBMは成功できるのか。そのままでは成功できないんじゃないの、ということになる。非対称性とオープンは真逆だから。IBMが変わらないと成功できなかったわけだよね。

J｜ITサービスで高い付加価値を提供するには、自社内の技術の蓄積が必要です。形は変わっても、メインフレーム時代から培ってきた技術力という強みは持ち続けているのではないかと思いました。

牧田｜事業の形はいろいろと変わっているけど、やはり技術が重要だから、IBMは技術力を捨てちゃダメだと（図表26）。

K｜アドバンテージマトリックスのフレームワークで考えてみると、IBMの事業は規模型事業から特化型事業に変質したと考えられます。ということは、差別化の戦略もとれるようになったと思います。

牧田｜アドバンテージマトリックス、テキストに出てきたね。ボストン・コンサルティング・グループが考案したフレームワークですね。

　Kさんが話を出してくれたので、アドバンテージマトリックスについて、ちょっとここで確認しておこう（図表27）。

図表27 │ **アドバンテージマトリックス**

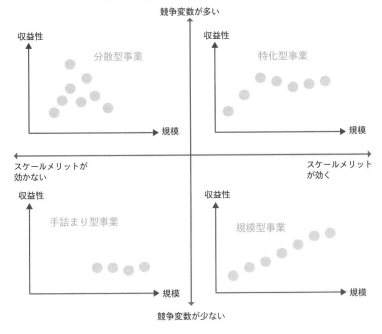

　マトリックスが出てきたら、横軸、縦軸がそれぞれ何を表しているのかを正確に把握してください。アドバンテージマトリックスの横軸は規模、縦軸は競争変数を表しています。横軸ではスケールメリットが効くかどうか、つまりシェアの拡大が収益性の向上につながるかどうかを表す。一方の縦軸では変数が多く差別化が効くかどうかを表す。このアドバンテージマトリックスって、誰の考え方を利用したマトリックスだったっけ？

L │ マイケル・ポーターの基本戦略です。

牧田 │ そうだね。ポーターの基本戦略。ではポーターの基本戦略は何だったか答えられる人。

M │ コストリーダーシップ、差別化、集中です。

牧田 │ はい、OK。横軸の規模というのは、コストリーダーシップが効くかどうかを表します。縦軸の変数は差別化が効くかどうか。変数が多ければ、いろいろな特徴が出せるということだからね。

　アドバンテージマトリックスでは、4つの事業に分類できるよね。競争変

数が少なく、スケールメリットや経験曲線が効く「規模型事業」、競争変数が多く、スケールメリットや経験曲線が効く「特化型事業」、競争変数が多く、スケールメリットや経験曲線が効かない「分散型事業」、競争変数が少なく、スケールメリットや経験曲線が効かない「手詰まり型事業」。

　これに、ポーターの基本戦略を当てはめて考えてみよう。規模型事業ではどういう戦略をとるのが成功の条件になるのかな。

N｜コストリーダーシップです。

牧田｜うん。有効なのはコストリーダーシップだけだよね。じゃあ特化型事業は?

O｜コストリーダーシップも差別化もききます。

牧田｜そう。それから、分散型事業は差別化が成功の条件となります。手詰まり型事業は何をやっても効かない（図表28）。

図表28｜ **アドバンテージマトリックスと戦略基本パターンをつなげる**

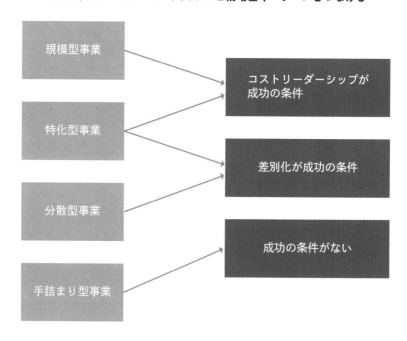

規模型事業の代表例は洗濯用洗剤。上位3社で98%のシェアを占めます。規模がないとチャネルを支配できないし、プロモーションがきかない。規模があることが前提条件になっています。

女性用下着は特化型事業といえるんだね。最大手のワコールのシェアは25%ほど。スケールメリットが効く規模です。一方で、トリンプインターナショナル、ピーチジョンのようにうまく差別化して成長している企業もある。

分散型事業の代表例といえるのは紳士服とかDVDソフト、ラーメンなど。紳士服は業界大手の青山商事やアオキインターナショナルでもシェアは2%とか3%しかない。DVDソフトも多種多様なものが売れています。ラーメン業界も7500億円ぐらいの市場だけど、最大手の幸楽苑でも売上は400億円ぐらいしかありません。トップ企業のシェアは5%とか6%ぐらい。「もやしが多い」とか、「バラ肉がうまい」とか、それぞれの店が特徴を出しています。規模が効かなくて、こだわりが決め手になる。

規模型事業を手掛けて儲かりやすいのは大資本です。特化型事業は差別化で勝負することもできるから大資本でも小資本でも儲けるチャンスがあります。このように事業を分類分けしたうえでどのような戦略をとるべきかを分析するのが、アドバンテージマトリックスなんだね。

KさんはIBMのビジネスが規模型事業から特化型事業に変化したので、コストリーダーシップも差別化戦略もとれるようになったと考えたということだったんだけど、どの事業が規模型から特化型に変化したんだっけ？

K｜ITサービス？

牧田｜IBMの元々のビジネスは、コンピュータハード事業だよね。

K｜IBMの事業領域が変わることで、アドバンテージマトリックスが変化したということでしょうか。

牧田｜コンピュータハード事業はなんで規模がきくとわかるんだろう？

L｜わからないと思います。

牧田｜なんで？

L｜さっきの市場分析の成功要因では、安定品質が求められるということしかわからず、規模や差別化が効くかどうかはわからないからです。

牧田｜そうなんだよね。したがって、今回のKSFの変化から洞察を得るときに、アドバンテージマトリックスを使うのは妥当ではないということになる。よ

い気づきを得たね。

K｜なるほど！ありがとうございます。

▶Key Success Factor変化への対応が遅れたのはなぜか

P｜IBMは当初、モノ売りで市場シェアも高かったので、たぶんプロダクトアウトの形でビジネスをしていたはずです。それがクライアント／サーバーというオープンで互換性のあるモノとか、ITサービスへと事業が変化していく中で、マーケットインを考えなくてはいけなくなったと思います。

牧田｜マーケットインって、どういうことだっけ？

P｜えーと、顧客目線に立ち、市場のニーズを把握して自社の製品やサービスを考えていくことです。

牧田｜そのとおりなんだけど、なんだか、IBMはすごく面倒なことをやらなくてはいけなくなったよね。従来のIBMは、高品質で安定したモノをつくることに集中していた。顧客のことにはそんなに興味はなくて、「とにかくオレたちは最高品質のものをつくるぞ」という立場だった。目線は顧客ではなく、最高のモノに向かっていた。日本の製造業と全く同じ（笑）。それが「顧客ニーズを把握しろ」と言われるようになった。全く違うスキームのビジネスになっちゃったんだよね。

　IBMの成功要因は時代とともに事業領域が変遷することで、高品質や安定性から軽さ、安さ、オープンなどに変わった。さらには顧客のニーズを理解して問題解決する能力までも加わった。IBMが市場環境の変化をきちんと理解していたならば、これらのKey Success Factorに対応したはずだけど、実際には対応がすごく遅かった。なぜでしょうね。経営陣がクライアント／サーバー・アーキテクチャーに否定的だったのって、なぜかわかりますか。

Q｜IBM社内におけるメインフレームの利益がひときわ大きくて、それを浸食するクライアント／サーバーに手を出すという決断ができなかったから。

牧田 | そうなのかな？ NTTドコモは10年前、ガラケーで稼いでいました。スマートフォンが出て来て、どんどんガラケーを浸食したけど、「それでもガラケーだ」という判断はしていなかった。「これからはスマホだ」と判断していた。なぜIBMはクライアント／サーバーに否定的だったんだろう。

R | メインフレームの利益率が圧倒的に高かったからではないかと思います。クライアント／サーバーは互換性があって他社のものと乗り換え可能で、メインフレームほどの利益率ではなかったと思います。

牧田 | クライアント／サーバーは利益が見込めないから、古くさいけど、メインフレームと心中するっていう感じ？

一同 | （笑）

牧田 | IBMの当時の経営陣、頭固いよね。本当に頭固い。なぜでしょう。

S | モノづくりばかりに目を向けていて、市場の顧客のニーズを見ていなかった。

牧田 | 顧客ニーズを見ていないから、市場環境の変化も気づかなくて、メインフレームでまだいけるのではないかと考えたと。

T | リーダー企業であるIBMは、2番手以下の企業のモノマネでも勝てると判断した。

牧田 | クライアント／サーバーなんて、後から模倣して同質化できると考えた。なるほど。

　なぜ、変わらなかったか。今、IBMって駄目だよねみたいなトーンで話しているけど、今までやってきたビジネスを否定して、新しいビジネスに乗り換えるというのは、IBMに限らず、どの企業でも本当に難しいことなんだよね。IBMはメインフレームで成長してきました。経営者たちは、何で成功してきたかというと、メインフレームを売って成功してきたわけ。社員が「メインフレームはもう売れません」と説明すると、「お前たちの気合いが足りないからだろう」となる。メインフレームを山ほど売ってきた成功体験を持つ人たちだから。「なんだ、この結果は。もっと気合い入れろ」ということになる。うまくいっていない理由が、環境変化なのか、目の前にいる部下の努力が足りないのか、正しく判断したうえでの意思決定ができなくなっている。成功体験の呪縛によって正しい意思決定ができなくなるというのは、どの企業でもよく見られることですよね。そこにやって来たガースナー

はKey Success Factorの変遷にきちんと対応し、IBMを再生させていったということになるわけだね。

1991〜1992年におけるIBMの問題は何か

牧田｜次に議論するテーマは「1991〜1992年におけるIBMの問題は何か」です。市場はメインフレームからクライアント／サーバーに変化しつつあるのに、IBMはメインフレームで成長してきたという過去の成功体験の呪縛によって正しい意思決定ができない状況が続いていました。

　ルイス・ガースナーがやって来る直前の1991年、1992年にIBMはどんな問題を抱えていたのか。ケースを読み込んで、たくさんの「雲」を出していきましょう。

▶IBMが抱えていた3つの問題

A｜会社の分割話に時間を割いて、本来考えなくてはいけない問題に向き合っていませんでした。

牧田｜本来考えなくちゃいけない問題って何だと思う?

A｜成長戦略を構築すること。

牧田｜そうだよね。それなのに、IBMは会社を分割するか否かばかり議論して、成長戦略を考えることができていなかった。言い換えると、会社の中しか見ていなかったということですね。みんなの興味や関心が会社の外ではなく、内ばかりになっていたわけ。

B｜組織があまりにも複雑化しすぎて、非効率になっていた。

牧田｜組織がデカくなりすぎて複雑化していたから、分割してシンプルにしようという議論が出てきたわけですね。それから?

C｜1984年をピークに財務指標などはちょっとずつ悪くなっていたけ

れど、赤字は表面化していませんでした。それが1991年にカナダ
IBMで初の赤字を計上する事態になりました。

D｜官僚主義がはびこって意思決定のスピードが遅かった。

牧田｜組織は複雑化すると官僚化するんだよね。官僚化って、どういうこ
とかっていうと、「意思決定したら負け」ってこと。

一同｜（爆笑）

牧田｜意思決定は絶対にしない。ぼやかす。IBMは官僚化して意思決
定しなくなっていた。

一同｜（笑）

E｜同じ目的に使う部品でも、デザインがまちまちで、スケールメリット
を活かしたコストリーダーシップの戦略がとれなくなっていました。

牧田｜あっちもこっちも複雑化して、シンプルなスケールメリットが出せなく
なっていたわけだね。

F｜もともとの稼ぎ頭であったメインフレームの売上が急速に低下しま
した。中型のコンピューターやクライアント／サーバーに移行したので
すが、コストが高く、結果的に赤字になっていました。

牧田｜メインフレームって、それまでどんな売り方をしていたのかな。それ
がどう変わりましたか。

G｜従来、リース中心だったものを販売中心に変えてしまいました。

牧田｜リースから販売に変えたらどうなったんだろう。

G｜リースでは長期的に安定した収入が見込めていたのに、販売に変
えてしまったことで将来的な売上の見込みが立ちにくくなりました。

牧田｜そうだね。リースの場合は、毎月、チャリンチャリンってお金が入って
くる。そういう毎月チャリンチャリンってお金を払ってくれる会社を何社も持っ
ているから、次の期の売上もだいたい予測できる。四半期でも通期でも、
「これくらいは行ける」という見込みが立つ。それって、心が安定するよ
ね。ところが販売の場合は、こうはいかない。メインフレームが1台売れた
らボンと大きな売上をたてられるけど、そのときだけ。保守やメンテナンス
でチョロチョロとその後の売上が出るぐらい。ボンと売れてチョロチョロ、チョ
ロチョロ、ボンと売れてチョロチョロ、チョロチョロという具合になる。ただで
さえ、複雑な組織で売上の予測が立てにくいのに、ボン、チョロチョロだ

と、よけいに予測が難しくなる。営業担当は大変だね。

一同｜（笑）

牧田｜さあ、いろいろな問題が出てきたね。これらの問題は仕分けすると、3つに分類できそうです。

　ひとつめは、ビジネスモデル。リース中心から、販売中心の事業展開にした。そうすると、安定収益があったストック型のビジネスモデルからフロー型のビジネスモデルになります。あるときはボンと売上が立つけれど、その後はチョロチョロ。また、あるときはボンと売上が立って、その後はチョロチョロとなる。山と谷ができてしまいますね。ビジネスモデルが変わって売上が不安定になってしまったわけです。

　2つめは、成功体験の呪縛。IBMはメインフレームで成功した過去の体験に縛られて、クライアント／サーバー・アーキテクチャーに否定的なんだね。何とか自社内に技術を閉じ込め、情報の非対称性をコントロールできないかと考えている。実際にはもう時代が変わっていて、それに対応しないといけないのにそれができず、タイムラグが生じてしまっている。それで業績の悪化を招いていたわけです。ガースナーがやるべきことは、タイムラグをなくすこと、世の中の流れに合わせ、さらに、その先に進むことですね。

　3つめは、肥大化した組織。20の独立した事業部が5000種類のハードウェアと2万種類のソフトウェアを販売していた。2万種類のソフトなんて、いったいどうやって管理するんでしょうか。組織が肥大化し、複雑化していたから、そこで使っている部品やソフトには全く互換性がない。官僚主義がはびこって、意思決定が遅くなるし、意思決定のプロセスも不透明だったわけです（図表29）。

▶従業員の意識をどう変えるか

牧田｜いろいろな「雲」が出てきました。ここからはみなさんとこの「雲」を解釈し、ガースナーが何をしていくのかを想像していきますよ。「雲」をしっかり分析すると、ガースナーが何をするのかが想像できます。実際に

やったことはケースに書いてありますから、想像したことが、ガースナーの行動と合致するのかを確認しましょう。「雲」からどんな解釈ができるのか、考えてみよう。

H｜IBMが抱えている問題は組織風土によるものが大きいので、まずそこから手をつけて改革するべきだと思いました。

図表29 ｜ **1991〜1992年におけるIBMの問題**

ビジネスモデル	▶リース中心から、販売中心の事業展開へ ▶ストック型ビジネスモデルから、フロー型ビジネスモデルへ
成功体験の呪縛	▶IBMはクライアント/サーバー・アーキテクチャーに否定的 ▶過去の成功体験から脱却できない
肥大化した組織	▶20の独立した事業部、5000種類のハードウェア、2万種類のソフトウェア ▶互換性がない、意思決定が遅い、意思決定が不透明

牧田｜組織風土ね。何が問題?

H｜従業員の意識の問題があって……。

牧田｜どんな問題? 意識がどうなの?

H｜従業員の意識が顧客志向ではないので、市場の変化についていけていないというところがあります。

牧田｜顧客志向じゃないよね。だってモノ売りだったから。IBMの人たちが注目していたのはあくまでもモノなんだよね。人には興味がない。これはどうやったら変えられるんだろう。ずーっとモノばかり見ていた従業員をどうやったら変えられる?

Ｉ｜従業員の行動を変えないといけないと思うので、そのために社内の評価システムをつくり直す必要があると思います。

牧田｜ホント? 評価システムを変えると従業員は変わるかな?

Ｉ｜ガンバリズムだけでは変わらないので、たとえば、お客さんと折衝している時間を個人の評価にするとか……。強制的な仕組みをつくってでも、行動を変えることが必要だと思います。

牧田｜強制的な仕組みで行動を変えることにどんな意味があるんだろう?本当に従業員は変わるのかな?

Ｊ｜まずトップ自ら行動を変えて見本を示すことだと思います。かつ、社内にそういうメッセージを定期的に発信し続ける。

牧田｜MBAチックな答えだね（笑）。MBA的な答えとしては正解なんだけど、でも、本当にそれってできるんだろうか。僕は戦略の専門家だからあまり組織の話はしないんだけど、組織の質問をすると、今みたいに、目標を立てて見本を示すとか、評価制度を変えるっていう話がよく出てきます。でも従業員は本当にそれで動くのかっていうのがちょっと疑問。ずっとモノ売りしてきたわけでしょう。モノしか見ていなくて人に興味ないっていう従業員、それで本当に変わるんだろうか。

Ｋ｜ごっそり人を入れ替える必要があると考えました。

牧田｜人を入れ替えちゃうんだ。なぜ?

Ｋ｜求められる専門スキルが全く違うからです。教育には時間もコストもかかります。外部からそういうスキルを持つ人材を連れてきたほうが、時間もコストも少なく済みます。

牧田｜日本企業は何とかして既存の人を変えようとするけど、米国企業はそんな悠長なことはしないよね。「モノ売りが得意なら、モノを売るところで頑張ったほうがいいんじゃないの」という考え方をする。「IBMは変わるけど、君たちは変わらないでしょう?」って。だから違う会社で仕事を探したほうがいいよっていうのが基本戦略になる。人を見ることが必要なら、きちんと人を見られる人を雇えばいいじゃないかということになるよね。たぶん、IBMもそういう方向で変えていかなくてはいけないんだろうということが洞察として得られる。実際IBMがどうなったのか?この後検証しよう。

L｜5000種類のハードウェア、2万種類のソフトウェアを抱えているということですが、ハードウェア自体が売れなくなっている中で、これだけモノを持っているというのはコストになるので、新しい成長分野に進出するための経営資源を確保するという視点から、これらを一部リストラすることが必要だと思います。

牧田｜何をリストラする?

L｜人も商品もです。

牧田｜商品を減らすこと、やめることは、いくらでもできます。では人をシフトできるのかということを考えなくてはいけない。さっきも言ったとおり、日本企業は特に既存の人でなんとかまかなおうとする。本当はそれぞれ専門性の高い仕事をしているのなら、そう簡単にシフトってできないはずだよね。日本企業はひとつめの部署はここ、2つめの部署はここ、3つめの部署はここ……という具合に、いろいろな部署をぐるぐる異動させてジェネラリストをつくろうとする。それって結局のところ、何の専門性もないビジネスパーソンをつくろうとしているだけだよね。そのスキームで人を変えられるのかということは、皆さんも組織論を考えるときに、自分自身の視点として持っておかなくてはなりません。組織系の授業で、しっかりと考えてみてください。

M｜ビジネスがストック型ビジネスからフロー型に変わっているので、モノを売り続けて得る収益以外に、人を見ることに従事する中でも収益を得るビジネスモデルをつくらないといけないと思います。

牧田｜従来のビジネスモデルが危うくなっている。となれば、別のビジネスモデルに転換していかなくてはいけない。

N｜顧客のニーズを吸収できるような新しい人が入ってきたのなら、その人たちが専門性を発揮して活躍できる場が必要だと思います。

牧田｜今はグチャグチャな組織だよね。このままやっていったほうがいいのか、分割したほうがいいのか。どうでしょう。

O｜ひとつにしたほうがいいと思います。肥大化した組織でフローが複雑化しているというのは、いろいろな意思決定をいろいろな人がし

ているということです。ある程度、現場の意思決定の権利を一時的に吸収してでも、まとめてコントロールする体制にしたほうがいい。

牧田｜分割せず、その代わり、アクの強い親分を連れてくる？（笑）

一同｜（爆笑）

牧田｜その人がトップダウンで何でもかんでも決めるってことだよね。確かにアクの強い親分を連れてくれば、意思決定が遅いなんていうことはなくなります。全部「オレが決める」だからね（笑）。意思決定のプロセスは不透明だけどね。確かにそれはひとつの方法。

　アサヒビールのケースを勉強したことがある人、いますか？ アサヒでもものすごくアクの強い親分が出てきた時代があるよね。 樋口廣太郎さんね。京都大学を卒業後、住友銀行に勤めて、住友銀行の副社長から低迷していたアサヒビールに転じて社長になった人物です。

　当時のビール市場はキリンビールの「ラガー」が圧倒的に強くて、シェア60％ぐらい握っていました。アサヒは鳴かず飛ばずだった。このままだと業界ビリになるっていうところで、彼が社長になって、何でもかんでもトップダウンで決めた。熱処理していた苦く重い「ラガー」に対抗しようと、生でスッキリした味の「スーパードライ」を投入して再生していった。

　通常、意思決定が遅いっていうのは意思決定のプロセスが長いからで、なぜ長いかというと組織がデカいから。だから分割の話が出る。分割するか、アクの強い親分を連れてくるか、どちらかで解決できるっていうのは、今日の面白い洞察だね。

▶組織の人員構成を変えることも必要

P｜過去の成功体験から脱却できないところが問題なわけですが、これを捨てるにはどうするかっていうと、過去の成功体験を持っているのは経営幹部なので、その人たちに退陣していただいて……。

牧田｜どうやったら退陣してもらえる？

P｜株をいっぱい持ってもらって消えてもらう。

牧田｜なんだ、そりゃ（笑）。それも外からアクの強い親分が来れば変わ

りますね。「はい、お前はダメ」「いらない」って言ってくれれば変わる。そんな乱暴な話じゃなくても、会社の方向性を変えると決めて、それについてこられるか、ついてこられないかは自分で判断しろと迫る。ついてこられない人は辞めざるを得なくなりますよね。

　さあ、いろいろな視点、洞察が見えてきました。大きいのは既存のビジネスモデルが通用しなくなったということ。クライアント／サーバー・アーキテクチャーやITサービスに移っていかなくてはいけない。そのときに出てくるのが人の問題ですね。既存の従業員が変わることができればいいけれど、変われない場合は、組織の人員構成自体を変えなければならないということもわかりました。

　では、この大きくて複雑な組織をどうすればいいのかというと、分割するか、アクの強い親分を連れてくればいいということが見えてきました。そして、IBMには実際、強烈にアクの強い親分がやってきた。ルイス・ガースナーです。

ガースナーはなぜIBMを分割せず、「ひとつのIBM」でやっていったのか

牧田｜ガースナーが来て以来、IBMと顧客との関係はすっかり変わりました。IBMはハード市場からサービス市場へシフトをしようとしています。それには顧客を理解し、顧客のニーズを把握することが不可欠です。ガースナーは顧客と一緒になって問題を解決しようとしました。最終的に報酬はいただくけれど、顧客は仲間という感覚です。従来のモノ売りをしていた経営陣とは全く意識が違う。

　ガースナーはマッキンゼー・アンド・カンパニー出身。人を見て、クライアント企業の課題に応える経験を積んできています。その後、アメリカン・エキスプレスやRJRナビスコのCEOを経て、IBMにやってきた。彼は基本的に、モノ売りなんて興味がないんですよ。顧客の課題を解決することにこそ興味がある。

デカくて複雑化した組織を分割するかどうかって議論になっていたけど、ガースナーは「One IBMでやる」という結論を出します。ひとつのIBMでやると。僕もかつてIBMにいましたが、そのときももう耳にたこができるぐらい、呪文のように「One IBM」「One IBM」って言っていましたね。では、ガースナーはなぜIBMを分割せず、ひとつのIBMでやっていくことにしたんだろう。

▶「統合的ソリューション」の意味とは

A｜IBMはグローバル企業で、世界中に組織があります。グローバルに悩みや課題を抱える顧客企業に対してソリューションを提供できるという能力を強みにするには、ひとつのIBMのほうがよいからだと思います。

牧田｜でも、たとえば、「IBMメインフレーム」とか、「IBM ITサービス」っていう事業別に会社を分割すればよかったんじゃない？ それでもグローバルに対応できると思うけど。

A｜そうすると、一気通貫のソリューションが提供できなくなるので……。

牧田｜どうして一気通貫でソリューションを提供しなくてはいけないんだろう。確かにケースにはそういう内容のことが書いてあったけどね。なぜでしょうね。

B｜顧客企業からすると、IBMの責任ですべて一括して任せたいのに、IBMの中で複数の機能に分かれてしまうと煩雑になってしまうからだと思います。

牧田｜そうかな。煩雑になる？ むしろ別会社に分割したほうがシンプルになるんじゃない？ なぜOne IBMでやるのがいいんだろう。

C｜機能を分割してしまうと、トータルでソリューションを提供するまでには各担当の協力を得ないといけなくなるので、時間がかかり競争力が落ちてしまうと思います。ワンストップで提供することが大事なのではないでしょうか。

牧田｜面白いね。競争力が落ちるという視点が出てきた。ケースの中では One IBMでやっていく理由をガースナーは何と言っていましたか。

D｜ガースナーが顧客訪問を重ねていたときに顧客から言われたことがあって、「IBMがやっていて他社にできないことは、我が社を統合的に見て、ソリューションを創出するよう支援することだ」と……。

牧田｜統合的ソリューションね。これ、よく使われるけど、意味不明の言葉だよね。この中身はなんだろう。これが見えると、One IBMの意味も見えてくる。

E｜統合的ソリューションというのは、お客様の問題を一元的に受けて解決するという直訳ができますが……。

牧田｜直訳じゃん（笑）。

一同｜（爆笑）

E｜実際の内容は、お客様の情報を吸い上げて、お客様に対応する接点がひとつであることかなと思います。

牧田｜お、何か面白いこと言ったね。なかなかいい視点。ケースをよく読むとわかるけど、ガースナーは、RJRナビスコ時代に顧客の立場で、ある経験をしていたんだよね。製造工程を自動化しようとしたとき、戦略策定はマッキンゼーに頼んで、プロセス設計はアンダーセン・コンサルティング、今のアクセンチュアに頼んで、システム化はIBMに頼まなくてはいけなかった。なぜ、こんなにいろんな会社にバラバラに頼まなくてはいけないのか、1社にまとめて相談できないのかと疑問だったって言うんだね。だから、One IBMで戦略コンサルティングもプロセス設計もシステム化もアフターサービスも一貫してやっていったらいいじゃないかと考えた。それでコンサルティング部門に力を入れていったんだと。

　では、なぜ戦略コンサルティングに力を入れていったのだろう。この統合的っていう意味不明な言葉のこともよく考えてください。さあ、なぜOne IBMにしたんだろうね。

F｜戦略策定というのは一番上流のところに位置します。戦略策定のところを押さえれば、プロセス設計、システム化、アフターサービスとすべてをIBMが押さえることができると考えたので、戦略策定に力を入れたんだと思います。

牧田｜上から全部押さえていけば、その下も押さえられるだろうということね。それはひとつの正しい答えだね。いいですよ。ナイスです。他にどうですか。

G｜顧客がそもそも気づいていない課題を戦略コンサルの立場から探り出してソリューションを提案することで価値を提供できると考えたのだと思います。

牧田｜うん。上を押さえれば、下も全部取れる。仕事がいっぱい取れそうじゃないかってことだよね。理想論としてはそうだし、IBMもそう言っていた。実際にやったら結構苦労したんだけどね（笑）。

IBMのビジネスをもう一度おさらいしますよ。それまでのIBMが売っていたのはメインフレームでしたね。顧客企業からすると、従来は戦略を立てて、その戦略を実現するための業務プロセスを設計する。プロセスを人の手でやるところとシステムでやるところに分けて、システム化を進めるところでハードウェアを買う。そのハードウェアにIBMか、その他のライバル企業の商品を導入する。こういう流れになっていました。

IBMは、どんなシステムにするかが決まった後に、ハードウェアを売っていたということになるわけです。要件に合わせたものをつくって、「高い」とか「安い」という話を繰り返す中で商売をしていた。顧客は少しでも安くモノを買いたいし、IBMは逆に少しでも高くモノを売りたい。真逆の立場で、ある意味では敵対するような関係になっていたわけだよね。

ところが、どういうプロセスを設計するかを検討するところからチームに入り込むことができれば、「そのプロセスを実現するには、こういうシステムがいい。こういうシステムをつくるにはIBMのこのハードウェアがベストですよ」と言える。「高い」「安い」の話ばかりで顧客と真逆の立場になるのではなく、顧客と一緒に経営課題に向き合う関係をつくることができます。だからこそ、従来であればアクセンチュアがメインでやっていたような業務プロセスのコンサルティングにも入っていくことが重要だったんだね（図表30）。

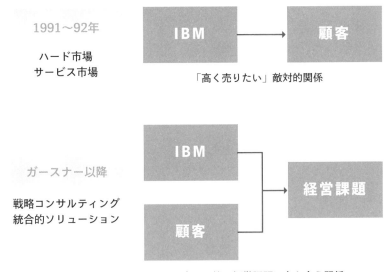

図表30 ｜ **IBMと顧客の関係**

1991〜92年

ハード市場
サービス市場

「高く売りたい」敵対的関係

ガースナー以降

戦略コンサルティング
統合的ソリューション

顧客と一緒に経営課題に向き合う関係

　さらにいえば、その業務プロセスだって自由に設計しているわけではなく、戦略コンサルが描いた絵に基づいて設計している。戦略が決められたうえで、アクセンチュアにするか、KPMGにするか、プライスウォーターハウスにするかと比較されている。だったら、最初の戦略を決めるところから入り込むのが一番いいということになります。顧客が何をやりたいのか、顧客の強み・弱みといった情報も全部把握できるんだから。

　もっとも、IBMにとっていちばん儲けが得られるのはシステム化のところ。本当に押さえたいのはそこ。ガースナーもそれはわかっていました。従来のIBMの立ち位置を変えるつもりはさらさらない。でも、システムを売っていくためには、上流機能を押さえなければならないということなんです。（図表31）

	One IBM	分 割
戦略策定	IBM	マッキンゼー
プロセス設計	IBM	アクセンチュア
システム化	IBM	IBM
運用	IBM	IBMサービス
アフターサービス	IBM	IBM アフターサービス

IBMは1990年代半ばに、こういう改革を実行して大成功しました。それを見てNECも富士通もマネをした。けれど、みんな失敗しました。なぜかというと、"なんちゃってコンサルティング部隊"をつくっただけだったから。ガースナーがOne IBMにこだわった基本の哲学を押さえていなかった。

システムを売るためには上流を押さえることが重要。シンプルに見れば、分割したほうが意思決定は早くなるように感じるけれど、システムインテグレーションを高く、たくさん売るためには、上流を押さえなくてはいけないし、そのためにはOne IBMでなくてはダメだったということだったんだね。

ガースナーの戦略に
マーケティングはどう対応しているか

牧田 ｜ ガースナーはOne IBMを掲げてビジネスを行いました。さて、ガースナーの戦略にマーケティングはどう対応したかを考えていきます。ケースにはどう書いてありましたか。

A ｜ これまで地域別になっていた販売組織をグローバル化しました。

牧田 ｜ 販売組織をグローバル化した。それがひとつだね。

B ｜ 幾つかあったパソコンのブランドを「ThinkPad」に集約しました。

牧田 ｜ そうだね。ほとんどのブランドを廃止し、ThinkPadブランドだけノートパソコン事業のために残しました。

C ｜ 広告では今まで40社の広告代理店と付き合いがあったのですが、それをオグルヴィ・アンド・ワールドワイドに集約しました。

牧田 ｜ うん、1社に統合していますね。どういうキャンペーンを行ったんだろう。

D ｜ 「小さな惑星のためのソリューション」というキャッチフレーズを使いました。

牧田 ｜ 小さな惑星ってどこのことかな。

D ｜ 地球です。

牧田 ｜ そうだね。地球を小さな惑星と表現しているって、どういうことかわかりますか。地球全体に対してサービスを提供するぞと。その地球を大きなものだとは、手に負えないものだとは考えていないと。我々はどのエリアに対してもサービスを提供しますよと言っているわけです。その頃のテレビコマーシャル、ちょっと見てみましょうね。ずいぶん昔のコマーシャルだからちょっと古くさいけどね。

（動画視聴）

牧田 ｜ このコマーシャルで、ガースナーの戦略にマーケティングがどう対応

したかを考えていきますよ。その前に、マーケティング戦略がどのようなプロセスで作成されるものかを確認しておこう。教科書（本書では第3章の理論編）に出ていましたね。僕の代わりに前に出て説明してくれる人いますか。じゃあEさん、お願い。（図表32）

図表32 | **マーケティング戦略立案の流れ**

マーケティング環境分析

▼

市場機会の発見

▼

セグメンテーション（市場細分化）

▼

ターゲティング（標的市場の選定）

▼

マーケティング・ミックス（4P）
Product, Price,
Place, Promotion

E │ マーケティング戦略立案は外部環境分析から行います。 外部環境分析はSWOT分析から始めます。 SWOT分析というのは…… えーと……。

牧田 │ おっと。 いきなり詰まっちゃったな。 他に挑戦できる人。

F │ マーケティング戦略立案は次のプロセスで行います。 まずはSWOT分析によって外部環境を分析します。 SWOTの中でOとTを分析し、今どんな機会とどんな脅威があるかを確認します。 その後にSとWを分析し、自社の強みと弱みを見ていきます。 ここから、自分たちの会社が参入すべき市場の機会を見つけ出します。 その次にSTPを行います。 まずはセグメンテーション。 どういう人たちにアピールするかを考えます。 次がターゲティング。 具体的にどういう顧客にアプローチするかを決めます。 その次がポジショニング。 競合と比べて自社がどこに位置するべきかを決めます。 このターゲティングとポジショニングを受けて、最後にマーケティング・ミックスでどういうマーケティングをしていくかを決めます。 どういう製品をどういう値段で、 どの場所で、 どういう広告をして売るかという4Pを固めます。 以上です。

牧田 │ はい、プロセス合ってますね。 Fさん、ナイスですね。 このプロセスは皆さん、必ず言えるようになってください。 かけ算の九九と同じ。 マーケティングを行うときには絶対に言えなければならない。 取るべき戦略、コストリーダーシップや差別化、集中とSTPや4Pがきちんとアライニングしていることが重要です。

　ではIBMのケースに戻って見ていきましょう。 今、マーケティングの戦略立案のプロセスを確認したけど、プロモーションのコンテンツというのは、何によって決定されるものだったっけ。

G │ ポジショニングです。

牧田 │ そう。 ポジショニングの軸によって設定される。 ということは、さっき見てもらったCMの中にIBMが訴えたい軸が濃縮されているということだよね。 IBMがコマーシャルで表現したかったことって何だろう。 そういうセンスも鍛えていかないといけないですよ。

▶テレビコマーシャルから企業のメッセージを読み解く

H｜ コマーシャルにはいろんな人種の方が出ていました。世界中、どこで起きる問題に関しても、IBMは解決できますよというアピールに感じました。

牧田｜ なるほど。グローバルどこでも問題解決できますと。

I｜ 顧客と一緒に解決するというメッセージを感じました。

牧田｜ それはどういうところから?

I｜ 「Join us」とか 「Together」という言葉が出てきたので……。

牧田｜ 「一緒に」とか、「我々の仲間になって」という表現で、顧客と一緒に解決する、あなたと一緒に解決するというメッセージを投げかけていたと。うん、なるほど。

J｜ 顧客の背景がさまざまだったので、どんな事業においてもソリューションを提供するということを表現していると思いました。

牧田｜ どんな事業でも任せとけということだね。

K｜ コマーシャルに子どもからお年寄りまで出てきました。企業規模が小さくても大きくても対応できるとアピールしていると感じました。

牧田｜ 面白い視点だね。スタートアップから大企業まで、どんな規模の企業にもソリューションを提供すると。

L｜ さまざまな言語で話しかけているので、ITのどんな言語にも対応できるというメッセージかと思います。

牧田｜ ほお、面白い(笑)。C言語でもC++でもイケると。いいですね。

　このようにコマーシャルは企業からのメッセージなんだね。何を訴求したいのかということが必ず表現されています。そのときに設定しているポジショニングの軸に沿ったメッセージを投げかけています。15秒、30秒のテレビコマーシャルを見るときには、そういう視点で、各企業のメッセージを読み解くことにもチャレンジしてみてください。

第2講|マクドナルド

成長と革新、そして粘り強さについての痛快な物語が 1948 年に幕を開けた。この物語は、ふたりの兄弟と、一軒の飲食店、そしてシカゴから来たマルチミキサーのセールスマンによって始まった。この飲食店は、やがて 3 万 1000 店舗以上になり、100 カ国を超える国々で世界的現象になった。この会社は急速に、しかも戦略的に事業を成長させ、世界で最も有名なブランドになった。しかし、創業から 50 年近い年月を経た、20 世紀から 21 世紀への変わり目の時に、マクドナルドは幾度か試練の時を迎えた。その巨艦の舵を切るには、優れたオペレーション、先導的マーケティング、財務規律の 3 点を柱とした大胆な計画を実践する必要があった。そしてその計画が功を奏し、巨艦は航路を変えた。

HARVARD | BUSINESS | SCHOOL

9-512-J04
REV: APRIL 5, 2008

JOHN QUELCH
KERRY HERMAN

マクドナルド

成長と革新、そして粘り強さについての痛快な物語が 1948 年に幕を開けた。この物語は、ふたりの兄弟と、一軒の飲食店、そしてシカゴから来たマルチミキサーのセールスマンによって始まった。この飲食店は、やがて 3 万 1000 店舗以上になり、100 カ国を超える国々で世界的現象になった。この会社は急速に、しかも戦略的に事業を成長させ、世界で最も有名なブランドになった。しかし、創業から 50 年近い年月を経た、20 世紀から 21 世紀への変わり目の時に、マクドナルドは幾度か試練の時を迎えた。その巨艦の舵を切るには、優れたオペレーション、先導的マーケティング、財務規律の 3 点を柱とした大胆な計画を実践する必要があった。そしてその計画が功を奏し、巨艦は航路を変えた。

これは成長の物語である。そして多くの人々が不可能だと言った経営再建の物語でもある。これがまさにマクドナルド・コーポレーションの物語なのだ。

草創期のマクドナルドの成長

1948 年、ディックとマックのマクドナルド兄弟は「マクドナルド」という店名のハンバーガー屋を開店した。その店のコンセプトの特徴は、限られたメニューとセルフサービスのみという点に集約されていた。ハンバーガー、チーズバーガーに 3 種類のソフトドリンク、ミルク、コーヒー、ポテトチップス、パイ、そしてミルクシェイク、この 8 点しかないメニューにも関わらず、店は大繁盛していた。この事実にレイ・クロックという男が注目した。

1954 年、マルチミキサーのセールスマンだったクロックは、シカゴからカリフォルニアへ飛び、そこでマクドナルド兄弟の店を視察した。彼はこの店がなぜ一度に 4 台のマルチミキサーを動かす必要があるのかを理解したかった。彼が席に着いて観察している間にも、この限られたメニューしかないマクドナルドに車が押し寄せる光景を目の当たりにした。そして、彼はマクドナルド兄弟と一緒にフランチャイズ展開について話し合った。彼はシカゴに戻り、自分こそがその仕事にふさわしいと語っていた。クロックは当時 52 歳であった。

https://casecenter.jp/case/CCJB-HBS-10063-01.html

CASE

　成長と確信、そして粘り強さについての痛快な物語が1948年に幕を開けた。この会社は急速に、しかも戦略的に事業を成長させ、世界で最も有名なブランドになった。しかし、創業から50年近い年月を経た、20世紀から21世紀への変わり目のときに、マクドナルドは幾度か試練のときを迎えた。その巨艦の舵を切るには、優れたオペレーション、先導的マーケティング、財務規律の3点を柱とした大胆な計画を実践する必要があった。そしてその計画が功を奏し、巨艦は航路を変えた。

世界で最も有名なブランドの経営哲学

　1948年、ディックとマックのマクドナルド兄弟は「マクドナルド」という店名のハンバーガー屋を開店した。その店の特徴は、限られたメニューとセルフサービスのみという点に集約されていた。ハンバーガー、チーズバーガー、ソフトドリンクなど8点しかないメニューにも関わらず、店は大繁盛していた。この事実にレイ・クロックという男が注目した。

　1954年、マルチミキサーのセールスマンだったクロックは、シカゴからカリフォルニアへ飛び、マクドナルド兄弟の店を視察した。彼が席に着いて観察している間にも、店に車が押し寄せる光景を目の当たりにした。彼はマクドナルド兄弟と一緒にフランチャイズ展開について話し合った。

　1955年3月、クロックはシカゴに戻り、マクドナルド・システムを設立した。ひと月後、彼のマクドナルド最初の店舗をイリノイ州デスプレーンズにオープンした。同年7月、カリフォルニア州フレズノにフランチャイズ2店舗目がオープンした。1958年までに店舗数は79まで増え、売上も累積で1000万ドルを超えた。

　クロックはフランチャイズ展開する際に、ある斬新で強力な考えをコンセプトに加えた。それは、品質（Quality）、サービス（Service）、清潔さ

（Cleanliness）、価値（Value）、つまりQSC&Vという経営上の理念の導入だった。この理念は、その後数十年続く同社の経営哲学の礎を築いた。

1961年、ハンバーガー大学という研修施設が店舗の地下に開校した。そこでは重要なオペレーションスキルや知識を学ぶことができた。クロックはビジネス成功の根幹は優秀できちんと訓練され、確かなスキルを持った従業員がいることだと認識していた。

クロックのもうひとつの信念は、マーケティングとパブリックリレーションが、あらゆるビジネスの成功のために必要不可欠であるということであった。創業当初から、彼は努めて地域社会に恩恵を還元した。地元のスポーツチームや学校、慈善団体などを支援した。

▶株式公開とさらなる成長

1963年までに、クロックはフランチャイジーからの提案で初めてメニューを追加。フィレオフィッシュ・サンドウィッチに挑戦した。この新メニューの導入は、金曜日に肉を食べないカトリック教徒の顧客からの、肉以外のメニューを求める声の高まりに応えるものだった。フィレオフィッシュの一件は、クロックがフランチャイジーに対し、企業家意識を持ち、ビジネスパートナーとして協力することを奨励した、よい例だった。クロックは彼らがもっとも顧客に近いところにいることをよくわかっており、彼らから顧客の意向を聞きたがった。

この頃、もうひとつの重要な経営哲学が生まれた。三本脚の腰かけである。これはマクドナルドの組織の構成要素が同社の従業員、フランチャイジー（オーナー／オペレーター）、サプライヤーであることを物語っている。ひとつの脚が不安定だと腰かけ自体が倒れてしまう。企業の強さ、成功には、ビジネスのすべての要素が卓越していなければならない。

クロックはフランチャイジーを「オーナー／オペレーター」と呼ぶようにした。フランチャイジーに対し、ただ店を所有するだけではなく、現場に出て、仕事に関与し、存在感を示すことを求めた。

1966年、マクドナルドはニューヨーク証券取引所に株式を公開した。1967年には国境を越え、カナダとプエルトリコに出店した。1968年と1973年にフランチャイジー発案の新メニューとしてビッグマックとエッグマフィンが発売された。エッグマフィンは、手で持てる画期的な朝食用サンドウィッチで、最終的には朝食をテイクアウトで取るという新しい食べ方を全世界に発信した。

会社が成長するにつれ、メニューが増え、革新も進んだ。1968年、大胆なパブリックリレーションとグローバルな露出を狙った取り組みとして、マクドナルドはフランス、グルノーブル・オリンピック大会に出場した米国の選手団にハンバーガーを空輸した。

1970年代には、ドイツ、オーストラリア、日本、オランダ、パナマに出店し、一層の成長を遂げた。1975年にはドライブスルーを初めて開設し、移動中の人々の食事の仕方を変え、フードサービスにおける世界的革新となった。また、若年層顧客のニーズに応える必要性を感じ、ハッピーミールやマクドナルド・プレイランドをつくった。

多くの特筆すべきマーケティングキャンペーンも打ち出された。1976年にはモントリオール・オリンピックの公式スポンサーとなった。

1980年代までにマクドナルドは世界27カ国に店舗網を拡大した。1985年までにシステム全体の売上高は100億ドルを超えた。1980年代を通して、新鮮なサラダ、マックチキン・サンドウィッチ、チキンマックナゲットなど、メニューは増え続けた。1980年代に、米国のファストフード・チェーンとしては初めて食品の原材料成分や栄養成分表をすべて開示した。

顧客が環境にも興味を抱きはじめると、ポリエチレン製の包装を一掃、代替策としてサンドウィッチに紙の容器を導入するなど、積極的な対応をとった。環境保護基金と10年間に及ぶ提携も結んだ。その後も、環境に対する消費者の関心に対応し、さまざまなプログラムや施策を用意した。

オペレーションにも取り入れられ、リサイクル、リデュース、リユースがオペレーションの基準の一部となった。1989年、熱帯雨林を破壊する生産者からは過去にも、また今後も牛肉を購入しないとする方針を打ち出した。すべての購買活動やオペレーションの活動において、いかに環境の持続

可能性について真剣に考えているかを、自らの行動によって示した。

▶潮目の変化

　1990年代にはロシアや中国に第1号店をオープンさせた。 1995年までに、マクドナルドは米国内において年間1130店舗のペースで新規出店した。その頃米国では軽食の新しい形態が増えつつあり、国際的にも選択肢が増えてきたことで、競争は増していた。この時期、マクドナルドが成長を続ける一方、 740億ドルといわれる米ファストフード産業自体はインフレ率程度にしか成長しないと予測されていた。

　マクドナルドはボストン・マーケットやプレタ・マンジェ、チポル・メキシカングリルなどの新興飲食店ブランドを買収した。 1998年、各店舗が顧客の特別注文に簡単に応えられるようにするため、「メイド・フォー・ユー」という統一オペレーションシステムを導入した。

　世紀の変わり目にあたり、ミシガン大学は全米ファストフード店ランキングでマクドナルドが最下位になったという調査を公表した。さらに、マクドナルドが顧客から直接フィードバックを受けるためのツールであるファスト・トラック・サーベイ（意見箱）でも、同社の店舗は顧客が期待するようなサービスを提供できていないことが再確認された。

　アナリストたちは消費者ニーズに対する同社の対応を批判し、 2002年には、マクドナルドは「サービスが粗悪で遅く、従業員のプロ意識も低く、間違いが多い、という顧客から多く受けた苦情に対して、改善する努力が足りない」と指摘した。マクドナルドは「あなたの笑顔が見たくて」という新しい広告キャンペーンを打ち出したが、期待に反し、世間の関心、反応、売上、いずれの呼び水にもならなかった。ウェンディーズのような競合が成長を見せている一方で、同社の売上は低迷していた。 2003年1月に発表した業績で初めて四半期における損失を記録した。

▶再活性化と「勝利計画（Plan to Win）」──再建

　2003年、マクドナルドの首脳陣は社の方向性を一新することを決意した。経営陣は3日間の重要会議を経て同社の再生計画を考案した。その計画は「規模より質」を求めることに重点を置いていた。マクドナルドは直近4年間で40億ドルの設備投資をかけて新店舗を展開し続けていたが、それに見合うだけの営業利益の増加は見られなかった。そこで首脳陣は「一日一日、店舗でQSC&Vを実行し、いい仕事をすることが肝心だ」と、既存店に注力することに決めた。

　経営陣は、特定期間に達成されるべき財務目標を明確にした。

・売上高を3〜5%伸ばすこと
・前年比売上成長の半分以上が既存店によるものであること
・年間のマージンを平均30.35%上げること
・年間の営業利益の成長率を平均6〜7%にすること
・増分投下資本利益率（ROIIC）を10%台後半に上げること

　マクドナルドは特に設備投資に対して新基準を導入し、「規模より質」というコア戦略を遂行しようとした。新規店舗数を減らすことで設備投資を減らし、既存店のオペレーションの改善を支援することに重点を置いた。

　さらに同社は、支出を、会社の改善を後押しする取り組みに向けはじめた。覆面調査プログラムを含む評価プログラムに投資した。既存店舗を斬新で楽しく、居心地のよい空間へと改装する、イメージアップ・プログラムを導入した。チキンやコーヒーなどのプレミアムメニューの追加にも投資した。その他にも、サービスと製品の受け渡しをスピードアップするために、効果が期待できる地域では、ドライブスルーで注文する場所を2箇所に増やし、世界中の市場で新しい利便性を追求した。

　その成功の中心にあったのは、優れたオペレーション、先導的マーケティング、財務規律という三本柱であり、今日に至るまで同社の「勝利計画」として知られるものの中核となっていた。

経営陣はさらにこの「勝利計画」を、どの市場においてもっとも重点的に取り組むべき分野、すなわち、人（People）、製品（Product）、場所（Place）、価格（Price）および販売促進（Promotion）という5Pへと分解した。この5Pは「お客様にとってお気に入りの食事の場とスタイルであり続けること」という経営目標をもとにつくられていた。それは、クロックの経営哲学、QSC&Vに根差していたのであった。

マクドナルドは長い歴史上初めて、優れたオペレーション、先導的マーケティング、財務規律という三本柱を中心としたグローバル事業計画を立て、世界すべての地域が成功への邁進に向けて焦点を絞った。世界中のすべての地域で、5Pこそがビジネスを駆動する力であることが認識され、計画は実行に向けて一気に進みはじめた。

店舗オペレーションとマーケティングの再構築

店舗オペレーションはより適切かつ、よりうまい方向に動きはじめた。

米国のマクドナルド事業は、国内の各店舗でイメージアップを図るキャンペーンを始めた。新しい店舗デザインの特徴は、居心地のよい椅子、最新の音楽、見事な配色、癒やし系の内装にあった。マーケティングキャンペーンにもマッチさせた新たな試みであり、素晴らしいコンビネーションだった。改装が進むにつれ、同社の売上は各店舗5〜7％上昇した。

さらに新しいフードメニューは顧客のニーズに応えるものだった。さまざまなヒット製品に加えて、白肉のチキンナゲット、プレミアムチキンのサンドウィッチ、プレミアムコーヒーなど、顧客のニーズに応える新しいフードメニューも加えた。

マクドナルドはまた、「運動をバランスよく取り入れたライフスタイル」というプラットフォームを発表し、大人向けには4種類から選べるプレミアムサラダ、ペットボトルのミネラルウォーター、歩数計がついてくる「アクティブに行こう」ハッピーミールが発売された。

グローバル・マーケティング部門トップとして新しく採用されたラリー・ライトは次のキャンペーンを決めるため、グローバル・コンペティションを行うことにした。

コンペティションではドイツの広告代理店ヘイ・パートナーの社長、ヨルゲン・クナウスが「i' m lovin' it（私のお気に入り）」という魅力的なコンセプトを編み出し、マクドナルド全社員の心を捉え、賛同を得た。

強力で焦点を絞った計画と、軌道修正を可能とする評価システムとの組み合わせが功を奏し、結果が現れはじめた。2004年には米国における既存店の前年比売上高は年9.6%プラスになり、30年間で最高の年間業績となった。ヨーロッパでは、既存店の前年比売上高が年2.4%伸びた。

2007年7月、同社の既存店の前年比売上高は50カ月連続プラスとなった。「勝利計画」、そして優れたオペレーション、先導的マーケティング、財務規律という三本柱が成果を出し続けていた。「勝利計画」とマクドナルドのビジネスのやり方には、クロックの基本理念であるQSC&Vが脈々と息づいていた。

アサイメント

さあ、ケースを読み終わったところで、本ケースに対するアサイメントをご覧いただこう。このアサイメントをそれぞれ検討したうえで、以下の実況中継を読み進めてほしい。アサイメントを検討するためには、再度ケースを読みこなさないといけないことも多いはずだ。何度もケースとアサイメントを行き来し、自分なりの見解ができたところで、この先を読み進めていこう。

第2講 | アサイメント（課題）

☑ マクドナルドの成長を、草創期、
株式公開後、1990年代に分け、
成功要因を明らかにしながらまとめよ

☑ 2000年代初頭、なぜマクドナルドの
売上は低迷していたのか

☑ マクドナルドの「勝利計画」は
どのような計画か、なぜ既存店を
中心にテコ入れを行ったのか

☑ マーケティング・ミックス（4P）に、
なぜPeopleを足したのか

☑ 「勝利計画」で成果を出している
マクドナルドに対し、経営参謀として
どのような成長戦略を提言するか

マクドナルドの成長を、
草創期、株式公開後、1990年代に分け、
成功要因を明らかにしながらまとめよ

牧田 ｜ ここからはマクドナルドのケースを見ていきましょう。

　マクドナルドは米国の田舎でマクドナルド兄弟が始めたハンバーガー店です。「オペレーション・エクセレンス」を特徴としていて、非常に効率的にスピーディーにハンバーガーを提供できるということで、その地域でとても有名な人気店となったんだね。あるとき、マルチミキサーを卸売りしているレイ・クロックという人物がやって来ます。彼はマクドナルド兄弟のオペレーション・エクセレンスのモデルに目をつけ、兄弟にこのハンバーガー店をもっとビッグビジネスにしよう、フランチャイズ化しようと持ちかけます。マクドナルド兄弟が「田舎でのんびりしているほうがいい」と断ると、クロックはいろんな技を使ってマクドナルドを乗っ取り、途中で兄弟を追い出します。そして、どんどん成長を遂げていきます。

　2年ぐらい前に公開された『ファウンダー』という映画があるんだけど、マクドナルドのいわば中興の祖であるレイ・クロックが主人公です。映画では、「英雄か、怪物か」というキャッチコピーで、かなり露骨にクロックの汚いところを描いています。でも、ビジネスって、清濁あわせのんで成長させていくところがあるんだよね（笑）。映画ではそれを明確に表現していてとても面白い。機会があったら一度、ぜひ見てみてください。

▶市場のステージと需要・供給の関係

牧田 ｜ さて、皆さんと議論する最初のテーマは「マクドナルドの成長を、草創期、株式公開後、1990年代に分け、成功要因を明らかにしながらまとめよ」というものです。

このように、「草創期、株式公開後、1990年代に分けてまとめる」と出てきたら、まずは市場のステージを考えることが必要なんだね。「草創期というのは市場は成長期にあるだろう」「株式公開したということは引き続き伸びていたからだろう」「1990年代にはそろそろ米国のハンバーガー市場も成熟してきたのではないか」とイメージを持つことが重要。「市場のステージに分けて問題を解かせようとしている」という意図を理解しないといけない。何を意図して聞いているのか、何を答えなければならないのかを分析し、想像する力をつけること、そういう視点、視座を持つことが、皆さんがビジネススキルを向上することにもつながります。

　まず、市場のステージごとの需要と供給の関係について確認しておこう。市場が成長期にあるということは、需要量のほうが供給量よりも多いということ。成熟期になると、逆に需要量よりも供給量のほうが多くなる。なぜそうなるのか。誰か、このメカニズムを説明できる人はいますか。

A｜成熟期には、顧客ニーズが多様化していきます。

牧田｜うん。顧客の視点からいうと、成熟期にはニーズが多様化、細分化するね。それで?

A｜中には、多様なニーズにマッチしないような製品も出るので、供給量が増えてしまいます。

牧田｜当たり外れが出るから供給量が増えると。その因果関係は正しいのかな?

B｜企業は成長期が続くという見込みのままで生産を続けてしまいます。成熟期に入るタイミングを見誤ってしまう。その結果、供給量が多くなるのだと思います。

牧田｜成熟期に移行した最初の1、2年はそういうこともあるだろうね。供給過多になる。そのうち、「なんかおかしいぞ」と気づく。たとえば、10年前の中国もそうだし、現在のASEANもそうなんだけど、市場成長率が高くて魅力的な市場なので、その市場を目がけて、あらゆる国から企業が参入してくる。ところが、どんな市場も成長期の後には必ず成熟期を迎える。成熟期を迎えて、「これはダメだ」と撤退の判断をすぐにすればいいんだけど、たいていの企業が「もうちょっと行けるんじゃないか」「まだ伸びるんじゃないか」と撤退の判断を誤ってしまう。でも、需要量は減る。そ

うすると需要量と供給量のギャップが生まれて供給過多になるわけですね。

▶成長期と成熟期のKey Success Factorは何か

牧田｜では、成長期と成熟期のKey Success Factorについて考えていきましょう。まずは成長期から。成長期のKey Success Factorって何だろう。わかる人。

C｜成長期にはいろいろな企業が参入してきます。その中で買ってもらうためには他社よりも機能や品質がいいことが必要だと思います。

牧田｜機能や品質が成功のカギとなると。なるほど。

D｜成長期は需要量のほうが供給量より多く、商品を出せば売れる状態にあるので、できるだけ早く顧客に認知してもらい、購入してもらう機会を増やすことが必要だと思います。

牧田｜うん、それも大事だよね。では、購入してもらう機会を増やすためにはどうしたらいいんだろう。皆さんが知っているものの中で、ものすごく成長して、供給量より需要量が多い状況にあった製品って何か思い浮かびますか。

E｜携帯電話。

牧田｜そうだね、携帯電話はそういう時期があった。そういう成長期に、通信キャリアが携帯電話を購入してもらう機会を増やすために行ったことってなんだろう。覚えてる?

F｜商品をばらまくこと。

牧田｜ばらまくとはどういうこと?

F｜店に行って品物があるようにしておくことです。

牧田｜そう。まずはとにかく店に品物がなくてはいけないんだよね。需要量が供給量より多い状況って、今の時代だとなかなかイメージしにくいと思います。いちばんわかりやすいのは、ちょっと極端だけど東日本大震災の後のスーパーマーケットやコンビニエンスストア。皆さんも記憶にあることと思います。ちょっと思い出してください。売り場の棚はガラガラ。ミネラルウォーターがない、パンがない、ティッシュペーパーがない。あらゆる製品の需

要量と供給量のバランスがとても悪い状態でした。どうしてもミネラルウォーターが買いたいと思った人は、スーパーが開く前から並ぶしかなかった。それで、店が開いたら一目散に飲料の売り場に行って、ペットボトルのラベルなんて全く見ずに、ガンガンかごに入れていた。

　需要量のほうが供給量より多いというのは、ああいう状態です。ニーズは単一で全く細分化していません。多くの場合、品質や機能だけが求められます。供給側の企業にとって、この時期に大事なこととは、とにかく「店にない」という状態をつくらないこと。これが絶対条件なんです。とすると、成長期のKey Success Factorは流通になりますね。

　1950年代～1960年代の米国では、マーケティングは流通という言葉に置き換えられていました。とにかく合理的に製品を流すことを考えるのがマーケティングだった。今でいうマーケティングは販売促進と捉えられていました。ポスターをつくることなどがマーケティングの大事な仕事だった。フィリップ・コトラーが出てきた1970年代～1980年代に、現在でいうマーケティングの定義が確立したんです。

　その成長期の過程で、顧客はさまざまな使用体験を持つことになります。さまざまな使用体験を持つと、自分の好みやこだわりが強く出てくる。「こういうのでないとダメ」「ああいうのじゃないとイヤだ」と言いはじめる。どんどんわがままになっていきます。それがニーズの多様化、細分化ということ。売るためには、企業はそれに応えないといけない。顧客が言ってくるいろいろな好み、こだわりに応えようとします。応えるから、さらに顧客はわがままになっていく。

　では、そうやって市場が成熟化したときのKey Success Factorは何だろう。

G｜顧客ニーズをきめ細かく把握すること。

牧田｜そうだね。顧客ニーズを把握するだけでは足りなくて、それに対応することが成功要因になる。

　さあ、市場ステージの説明をしたところで、ここからマクドナルドのケースに戻りますよ。マクドナルドが成長していくためには、どんな成功要因が重要になるんだろう。それを考えるために、まずマクドナルドが何をしようとしていたのかを考えていきたい。マクドナルドの経営哲学、何があったでしょ

う。

H｜品質、サービス、清潔さ、価値のQSC&V。

牧田｜そう。 Quality、Service、Cleanliness、ValueのQSC&Vがあったよね。他にはどうですか。

I｜地域社会とかかわることを大切に考えていました。

牧田｜地域社会への還元が成功の基盤であるという信念があった。 地域社会への支援を大事にしていました。

J｜フランチャイズでビジネスを展開すること。

牧田｜うん、確かにフランチャイズでビジネスを展開している。そうなんだけど、もっと基本的な経営哲学があったはず。それはいったい何だろう。

K｜スキルを持った従業員を育成しようとしています。

牧田｜うん。従業員たちがオペレーションスキルや知識を学べるようにハンバーガー大学をつくったりしていたよね。

L｜限られたメニューとセルフサービスというコンセプト。

牧田｜限られたメニューとセルフサービスでやっていた。 オペレーション・エクセレンスを実現するためにね。他にない? 基本的な経営哲学ですよ。もう1回ケースを読んで探してごらん。何かありますか。

M｜優れたオペレーションと先導的マーケティング、財務規律を3本柱としています。

牧田｜そうだね。優れたオペレーションを実行し、先導的マーケティングを実践する。さらに財務規律を徹底する。この3つを追求しようとしていましたね。優れたオペレーションによって品質、サービス、清潔を実現しようとした。オペレーショナル・エクセレンスが価値だったんですね。

　先ほど紹介した 「ファウンダー」という映画を見るとよくわかるけど、草創期のレイ・クロックは常に掃除をしています。掃除をしながら、顧客が何を食べて、何を残しているかを見たり、どこで食べているかを確認したりしている。オペレーションをどう改善していこうかとずっと考えているんです。

　品質とサービスを改善するためにハンバーガー大学という研修施設もつくっています。こうして草創期のマクドナルドはオペレーションの改善、つまりQSC&Vとマーケティング、PRで成長を実現していったわけです（図表33）。

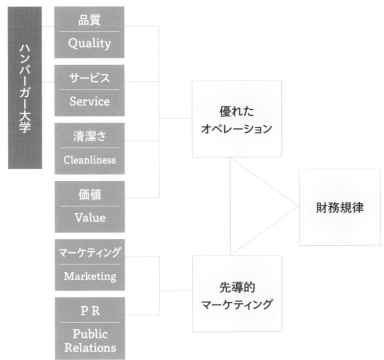

図表33 │ **マクドナルドの経営哲学**

▶成長期には成功要因を突き詰めていけばいい

牧田｜では皆さんに聞きたいのですが、この時期のマクドナルドはなぜオペレーションの改善で成功できたんだろう。

N｜草創期には、少しでも早くおいしいもの、安いものを食べたいという顧客のニーズがありました。それに対してマクドナルドはメニューを絞り込み、セルフサービスにすることで応えていました。競合他社が顧客ニーズをつかめていない中で、マクドナルドはそのニーズをしっかりとつかめたのが成功の要因だと思います。

牧田｜うーん、間違いとは言わないけど、期待した答えではないな。期待した答えではないってすごい言い方だけど……（笑）。ぜひ期待に応えてほしいですね。

O｜当時は市場が成長期の段階で需要のほうが供給よりも多かったので、いかに早く展開するかが大事だったと思います。その中でオペレーションを改善し、フランチャイズ化を素早く実現できたことで成功できたのだと思います。

牧田｜だいぶ期待値に近づいてきた（笑）。さっき、僕はヒントを出しているんだよね。皆さん、そのヒントをしっかり使うべきですよ。僕の期待に応えるということは、顧客ニーズの把握力の向上と同様。耳を鍛えて聞き逃さずに、どういう視点でどう答えるべきかを考えないといけない。

　アサインメントをもう一度読んでみてください。「マクドナルドの成長を、草創期、株式公開後、1990年代に分け、成功要因を明らかにしながらまとめよ」とあります。草創期とか株式公開後の辺りは、どんな時代なんだろう。さあ、どうでしょう。マクドナルドはなぜオペレーションの改善で成功できたのか。

P｜マクドナルドはオペレーションの改善で固定費と労働費を下げることによってスケールメリットをきかせられるような体制をつくり、どんどんフランチャイズ展開をしました。コストリーダーシップがとれるような状況に持っていったから成功したのだと思います。

牧田｜今の答えは、スケールメリットやコストリーダーシップの勉強をしてい

る時だったら合格点。でも今、期待した答えとはちょっと違いますね。僕がさっき出したヒントは何だろう。

Q｜事業のライフサイクルは今、導入期から成長期に差し掛かる段階です。いかに短時間で多くの製品を届けるかがKey Success Factorになります。マクドナルドは画期的なオペレーションによって迅速に製品を提供することができたので成功したのだと思います。

牧田｜OK。最初に「草創期というのは成長期だろう」ということが想像できるという話をしたよね。このときのハンバーガー市場は成長期にあるんですよ。皆さんが携わる事業も成長期であったり成熟期であったり衰退期であったりすると思いますけれど、成長期というのは市場が拡大しているでしょう。市場が拡大しているときには、競合も成長して自社も成長するということが可能なんです。その中で、マクドナルドは優れたオペレーションで成功した。

　市場成長期においては、優れたオペレーションが成功要因となったのなら、それを突き詰めていけばいい。競合も自社も成長することができるから、自社で今までやってきたことが受けているなら、それをどんどんブラッシュアップしていけばいい。マクドナルドは自分の強みである優れたオペレーションをひたすら改善、改善していけば、それで勝てるじゃないかということになる。成熟期になったら、違う。やり方を変えないといけなくなる。けれど、成長期は少なくとも自分が見つけた成功パターンをブラッシュアップするという方法でさらに成長できる。

　おそらく、皆さんの会社の中にも、この成長期の成功体験に縛られている経営陣がいるはず。成長期に自分たちの成功パターンをひたすらブラッシュアップすることで成長した。その後、成熟期に入ってからも、自分のやってきたことをさらにブラッシュアップし続けた。でも、成熟期にはその方法ではもうなかなか成長しない。「どうしたんだろう」「なぜだろう」って思い悩んでいるという経営者たち、山ほどいるはずです。

▶なぜクロックは顧客の意向を聞きたがったのか

牧田｜はい、では次に株式公開後のマクドナルドの成長を見ていきましょ

う。株式公開前後の時期、クロックはフランチャイジーから顧客の意向を聞きたがっていたとケースに書いてある。実際、株式公開前後に、マクドナルドは顧客に対していろいろなインタビューをしています。先ほど紹介した映画でも、クロックが顧客に「このハンバーガーどうですか」と聞いている場面が出てきます。それは何のためなのでしょうね。クロックが顧客の意向を聞きたがったのはなぜか。フレームワークで説明せよと言われたらどう説明しますか。

R｜フィリップ・コトラーの「競争上の4つの地位」で説明できると思います。マクドナルドは株式公開時、業界のリーダー企業の地位にありました。リーダー企業がとるべきはフルカバレッジ戦略です。顧客が求めているものをすべてカバーする必要があるので、顧客の意向を聞きに行く必要があったのだと思います。

牧田｜OK、いい答えだね。ナイスです。コトラーは企業を4つの地位に分類できるとしていました。リーダー企業、チャレンジャー企業、フォロワー企業、ニッチャー企業の4つ。リーダー企業って、どういう企業だっけ?

S｜市場全体をフルカバレッジしている企業です。

牧田｜フルカバレッジしていたらリーダー?それだったらたくさんリーダー企業がいるっていうことだね。

T｜業界1位の企業。

牧田｜そう。それがリーダー。じゃあチャレンジャーは?

T｜2位以下で、リーダーのシェアを奪おうとしている企業です。

牧田｜そうだね。たとえ業界97位でも、リーダー企業のシェアを奪おうとチャレンジしているならチャレンジャー。ではフォロワー企業は何ですか。

U｜廉価販売している企業。

牧田｜違うよ。大切なのは、業界1位企業に挑戦する気概がないこと。もちろん、すでに成功した商品やサービスに類似する廉価版を出しているような企業であることもあるけどね。じゃあニッチャーは?

V｜特定市場を攻めて収益を挙げている企業です。

牧田｜そう。まとめると、シェア1位かどうかでリーダーか否かが決まります。リーダーに挑戦する気概があれば、順位はともかくチャレンジャーになる。独自の領域でビジネスを行っていく力があるか。それでフォロワーかニッ

チャーかが決まります。コトラーは辛辣で、日本企業の9割はフォロワーだと言っている。特色がないというんですね（図表34）。

図表34 | **コトラーの競争上の4つの地位**

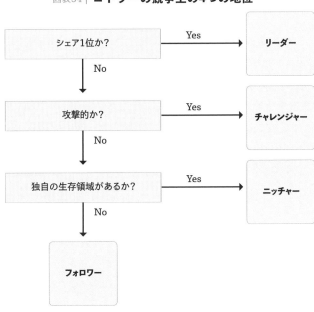

　フレームワークで説明するには、今挙げてくれた「コトラーの競争上の4つの地位」のほかに、「ポーターの基本戦略」でもいい。ポーターは、企業のとり得る戦略として、何があると言ってるんだっけ。

W｜コストリーダーシップ、差別化、集中です。

牧田｜そう。その3つがある。この3つの関係を説明できる人、いますか。

X｜全体市場を狙うのか、小さな市場を狙うのかの違いがあります。

牧田｜小さな市場って何？

X｜市場全体の中の特定の市場です。

牧田｜そうだね。全体市場か特定市場かが違う。じゃあ、コストリーダーシップ、差別化、集中の中で、市場全体を狙うのはどれだろう。

Y｜コストリーダーシップと差別化。

牧田｜ということは、特定市場を狙うのは？

Y｜集中です。

牧田｜そうだね。3つのうち、コストリーダーシップと差別化は市場全体を攻める。集中は最初から特定市場を狙います。市場全体を狙う気はさらさらない。じゃあ、コストリーダーシップを採用できる企業って、どういう企業ですか。

Z｜リーダー企業。

牧田｜はい、業界1位企業だね。なぜリーダー企業はコストリーダーシップを採用できるのだろう。

a｜生産量が多いから。

牧田｜BCG-PPMでも学んだことだけど、もう1回復習するよ。

マーケットシェアが高いということはたくさん売れるということである。たくさん売れるということはたくさんつくるということである。たくさんつくると2つの効果があるんでしたね。経験曲線とスケールメリット。経験曲線というのはどういうことかというと、つくればつくるほど技能が上がるということ。プラモデルを初めてつくったときには、慣れていないので段取りを間違えたり失敗したりする。ところが何回も繰り返しつくると、技能が上がって最後まで一気につくれるようになります。初めてつくったときには1時間で1個しかつくれなかったものが、100回目には4個つくることができる。経験を積んだことで生産性は4倍になる。

もうひとつがスケールメリット。たとえば工場のラインが3つあっても、少しの量しかつくらないなら稼働するラインはひとつだけ。たくさんつくるには3つ全部稼動させることになります。工場内で使う電気代は稼動するラインがひとつでも3つでも同じ。3つのラインを稼動させたほうが単位あたりコストは下がる。たくさんつくるほど経験曲線とスケールメリットがきいてコストが下がります。

では、コストリーダーシップを採用することと低価格戦略を採用することとは同じでしょうか。同じではないでしょうか。

b｜私は違うと思います。なぜかというと、目標が違うからです。コストリーダーシップは利益の最大化を目指しているのに対し、低価格戦略はシェアの最大化を目指していると思います。

牧田｜なるほど。

C｜私は同じだと思います。コストリーダーシップはコスト面で優位に立ち、低価格で販売しても利益が出るということで、シェアをとりに行くときに有利です。

牧田｜今、いいこと言ったね。シェアをとりに行くときには有利だと。シェアをとりに行かないときにはどうなる？

C｜不利になります。

牧田｜いいこと言った。ナイスです。コストリーダーシップと低価格戦略が同じかどうかは、タイミングで違う。競合企業が低価格戦略を仕掛けてきているような「戦争状態」のときには、コストリーダーシップで価格を下げることで敵をたたきつぶすことも必要になる。一方で、そうではない「平時」にはコストリーダーシップで価格を下げては儲からなくなります。リーダー企業は基本的には低価格戦略は採用しない。業界標準価格、またはそれよりも高い価格にして利益最大化を狙っていくものです。トヨタ自動車もパナソニックも低価格戦略をとってはいないよね。「コストリーダーシップと低価格戦略が同じかどうか」と聞かれたときの答えとしては、「戦時」か「平時」かで異なるということになります。

▶リーダー企業としてフルカバレッジが必要だった

牧田｜はい、ではマクドナルドの話に戻ります。マクドナルドの経営哲学をもう一度おさらいすると、優れたオペレーションと先導的マーケティング、財務規律でした。優れたオペレーションを実行するためには品質を上げなくてはなりません。サービスレベルを上げなくてはいけません。そして価値を提供しなくてはいけないということ。

これらは顧客ニーズを把握することによって実現できるものだよね。さっき答えてくれたように、株式公開時点でマクドナルドはハンバーガー業界のリーダーというポジションにいます。コストリーダーシップをとってフランチャイズ展開をどんどん進め、規模を拡大することが成功のカギとなる。コストリーダーシップ戦略をとるリーダー企業として、顧客を子どもにもシニアにもどんどん広げて市場を拡大しようとしていた。だからフルカバレッジが必要

になるわけです。顧客を拡大するには顧客がどんなニーズを持っているか
を把握しなくてはならないわけだよね。

では、それって、どうやったらできるのか。ケースの中に、クロックはフラ
ンチャイジーに対し、ただ店を所有するだけではなく、現場に出て、仕事
に関与し、存在感を示すことを求めたとあります。それはなぜでしょう。ど
うして、オーナーに現場に行けって言ったの?

d｜顧客の声を聞きやすいところに出てもらって、顧客のニーズを素早
く取り入れてほしかったから。

牧田｜そうだよね。現場に行って初めて顧客のニーズを把握できるのだか
ら、現場に出て行ってねということです。フルカバレッジ戦略をとるマクド
ナルドにとって、Key Success Factorは顧客ニーズを把握して、それに応
えること。だから、クロックは顧客の意向を聞きたがった。

リーダー企業でフルカバレッジを必要とするマクドナルドは成長期にこれ
をやっていますが、一般的には成長期から成熟期に移行したときに、顧
客の声を拾うことが重要になります。なぜだろう。成長期のKey Success
Factor、成熟期のKey Success Factorで説明できる人、いるかな。

e｜成長期というのは、需要のほうが供給より多いので、流通させるこ
とが成功要因になります。成熟期になると、需要より供給のほうが多
く、多様化、細分化した顧客ニーズを把握して、きめ細かに対応する
ことが成功要因になります。

牧田｜そのとおり。だから顧客の意向を聞くことが大切なんだね。リーダー
企業であるマクドナルドがやったのは、市場の成熟期に置かれた企業がや
るべきことと全く同じということですね。

では、マクドナルドの株式公開後の成功要因は何でしょう。ヒントを出し
ますよ。株式公開前後の市場は成長期にありますか。それとも成熟期で
すか。

f｜成長期です。

牧田｜そう、成長期だよね。競合も成長するし自社も成長できる。だから、
まず考えるべきは、自社がうまくいっているポイントを伸ばしていくこと。マ
クドナルドはどんな経営哲学でビジネスを行っていたのかというと、何度も
言うとおり、優れたオペレーション、先導的マーケティング、財務規律で

した。それを実現するためにQSC&VとマーケティングとPRを向上させて
いったんです。この枠組みを株式公開前後にどう向上させていたのかとい
うことを考えればいいわけです。さあ、どういう工夫をしていたでしょうね。

▶QSC&Vの何を強化しようとしたか

g｜朝食用のサンドウィッチを導入したり、ドライブスルーを開設したり
しました。それは先導的マーケティングに該当すると思います。

牧田｜まず使うシチュエーションを増やしていったと。朝食を用意したり、ド
ライブスルーを取り入れたりして、提供機会を増やした。これはマーケティ
ングによって顧客の声を聞いたからだと。これらの施策、なぜ先導的マー
ケティングに該当すると考えた?

g｜どの施策もそれまでのハンバーガー業界では取り入れてなかった
ことだからです。マーケティングで顧客の声を聞いて、それらがお客
を引きつけるカギだと考えて、仕組みをつくっていったので、先導的
マーケティングに該当すると考えました。

牧田｜顧客の声を聞いたからっていうことね。顧客の声を聞いて、どこを
強化したことになるのかな。マクドナルドのQSC&Vという経営哲学の中で
何を強化したんだろう。

h｜クオリティとサービス。

牧田｜なぜそう思う?

h｜朝食のメニューが増えるというのは顧客にとって価値が向上する
のでハンバーガーショップとしてのクオリティが高まります。ドライブス
ルーに関しては、お店に入らなくても車に乗ったままでハンバーガーを
買えるという便利性が向上しています。

牧田｜提供機会が増える。それは、直接的に言うとサービスが向上すると
いうことです。メニューの種類を増やしたというのもサービス向上になる。成
長期における成功要因であった優れたオペレーションを、とにかく強化しよう
としているといえる。他に株式公開前後にどんな施策を打っていますか。

i｜グローバル展開を意識した先導的なマーケティングを行っています。

たとえばモントリオール・オリンピックの公式スポンサーになりました。これはおそらく、海外の店舗網を拡大する前のことですが、その時期からグローバルを意識しはじめたのだと思います。

牧田｜そうだね。優れたオペレーションを磨いていったと言ったけれど、もうひとつ、先導的マーケティングも強化していった。そのために、オリンピックにも協賛し、グローバルに知名度を上げていった。他にはどうかな。

j｜優れたオペレーションの一環として、リサイクル、リデュース、リユースなどを導入しました。

牧田｜環境問題に対応したと書いてあったね。これって、何がしたかったんだろう。こんなことをすればコストがかかるよね。どうしてこんなことをやろうとしたんだと思いますか。

j｜そういう環境への対応とか、食品の原材料の成分表示とか、地域貢献などは、ハンバーガー業界で競合と戦いシェアをとるために、社会貢献をしているというPRとしてやっていたのだと思います。

牧田｜そう。確かにPRとしてやっていた。でも、じゃあ社会貢献をPRしたらシェアとれるんですか。

j｜同じハンバーガーを食べるなら、社会貢献しているようなところで食べたいと個人的には思いますが……。

牧田｜個人的には食べたいと……。そうなんだ（笑）。

一同｜（笑）

牧田｜じゃあ、聞いてみましょう。環境問題を意識しているハンバーガー屋さんがありました。味は変わりません。そっちに行きたいですか、どうですか。行きたい人?

j｜あまりいないみたいですね……（笑）。

牧田｜あまりいないね。でも、やっぱりそれはやっていく必要があるんだよ。なぜかというと、リーダー企業だから。リーダー企業にとっては、企業倫理もとても重要ですからね。会社は儲けているのに環境破壊を続けていれば、社会に全く貢献していないということになってしまう。

　以前、僕がハーバード大学経営大学院で学んだときにも、「Ethics」「Ethics」って、倫理のことをものすごく強調して言われました。米国の企業でいろいろな経済事件があったということも影響してるんだけね。マ

クドナルドはこの頃から環境に対してものすごく高い意識を持ちはじめていました。やりたい放題やって儲けるのではなく、リーダー企業としてやるべきことをきちんとやろうとしたということです。他に何か気づいたことあった？

▶顧客ニーズの把握に力を注いだ

k｜マクドナルドのバリューを高める活動として、フランチャイジー発案のメニューを取り入れるなど、フランチャイジーに起業家精神を持たせようとしました。

牧田｜そう、さっき見たように、フランチャイジーに対して現場に出ることを求めていました。現場に出て何をさせた？

k｜顧客ニーズを把握させていました。

牧田｜それがちゃんと機能しているよね。レイ・クロックが何か面白いこと言っていたね。椅子があったんだけど。どんな椅子だったっけ？

l｜3本脚の腰かけ。

牧田｜そう。3本の脚はそれぞれ何だろう。

l｜従業員とフランチャイジーとサプライヤーです。

牧田｜そう。この人たちが一緒に頑張らなくちゃいけないと。ひとつでも脚が不安定だと腰かけ自体が倒れてしまうと言ってるのね。企業の強さや成功には、すべての要素が卓越していないとダメだって言うわけ。ではその腰かけには誰が座るのかな。

m｜レイ・クロック。

牧田｜そう。レイ・クロックが腰かけるんだよね。つまりマクドナルドが、フランチャイジーとか従業員、サプライヤーに支えられて乗っかるということを意味しているわけです。こうやってマクドナルドはマーケットをどんどん、どんどん拡大をしていくわけです。マーケットを拡大していくときに、マクドナルドはリーダー企業なのでフルカバレッジをしなければならない。顧客ニーズを把握し、先取りしなくてはならない。それには現場の声を聞く必要がある。そこで従業員、フランチャイジー、サプライヤーという3本脚の腰かけの仕組みを作って協力してもらう体制を整えた。こうしてレイ・クロックの株式公開前後の市場

拡大はうまく機能していたのです。オリンピックに協賛し、環境保護にも資金を出し、企業倫理の向上にも目配りをしていった。成功を収めた。でも、その後の1990年代は市場成熟期で競争のルールが変わっていきます。

2000年代初頭、なぜマクドナルドの売上は低迷していたのか

牧田｜次のテーマは「2000年代初頭、なぜマクドナルドの売上は低迷していたのか」。売上が低迷していたと書いてあるのを見て、この「Aligning Strategy and Sales」を受講した皆さんは、「なるほどね、仮説だけど市場に何か問題があったのか、市場には問題がないけど競合が伸びてきたのか、市場には問題はないし競合も伸びていないけど自社に問題があったのか、どれかなんだろうな」と当たりをつけることができなくてはいけないですよ。そういう視点を持ってケースを読むと、「やっぱりこれだな」というのがわかります。それをやらずにケースを読むのはただの読書です。皆さんは分析力、問題発見力、問題解決力を高めたいわけだから、そういう読み取り方をしなくてはいけない。さあ、2000年代初頭、マクドナルドの売上が低迷したのはなぜでしょうか。原因が書いてあったよね。

A｜ウェンディーズのような競合が台頭し、市場シェアを伸ばしてきたから。

牧田｜なるほど。ちなみに、今、僕がこの問題を説明するとき、視点・視座の提供をしたよね。説明できる人いますか。

B｜市場に問題があるのか、競合に問題があるのか、自社の取り組みに問題があるのかを考えることと。

牧田｜そうだよね。なぜ、売上が落ちたのか。さっきの答えだと、ウェンディーズが台頭したから、つまり競合が出てきたからっていうことになる。いきなりそういう細かい話に入っていくのではなく、市場に問題があるのか、市場に問題はないけれど競合が伸びてきたのか、市場に問題はないし競合も伸びていないけれど自社に問題があったのか、と見ていくことが大切な

んだね。市場・顧客、競合、自社という3Cのエッセンスを使った説明が必要です（図表35）。

図表35 | **2000年初頭の変化**

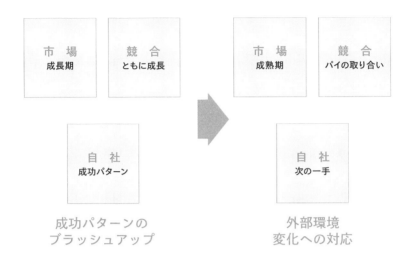

▶3Cで売上低迷を分析する

牧田 | 3Cの要素は市場、競合、自社だけど、この言葉のままでは売上の低迷を分析しにくい。別の言葉で言い換えて、売上が低迷する理由を説明したい。さあ、では、どういうふうに表現したらいいだろう。これ、コンサルティング会社に新人が入ってきたときに、最初にやらせる問題です。3Cをどう言い換えるか。

C | 売上の構成要素は客数と単価に分解できるので、市場を客数、競合と自社を単価と考える。

牧田 | 競合と自社を単価で言い換える……?競合と自社の要素は単価だけなの?

D | 市場、競合、自社を需要、シェア、供給と言い換えればいいと思います。

牧田 | えーと、市場は何に置き換えるの?

D | 需要です。

牧田｜市場を需要に置き換える。そして、競合を?

D｜シェアに置き換えます。

牧田｜競合をシェアに置き換える。自社が供給か。需要と供給は対になっているからなんとなくわかるけど、そこにシェアが入ると一体なんだろう、ということになるね。

　売上が下がる場合というのは2種類しかありません。ひとつは市場が縮小していく場合。自社のシェアは変わらなくても市場が縮小しているから売上が落ちちゃう。ハンバーガー業界全体の売上が下がっている。自社の売上も下がっているし、競合の売上も下がっている。マクドナルドのせいじゃないということになります。もうひとつは市場は縮小していないのに自社のシェアが減少していく場合。その場合は競合のシェアは上がっていることになる。この2つが同時に起きることもあります。市場が縮小しながら自社のシェアが下がるっていうことね。

　さっきの答えを言いますよ。市場、競合、自社の3Cで売上の低迷を分析する場合には、市場のことは市場縮小と言い換えて考える。競合と自社はまとめて自社のシェア低下と考えます。自社のシェアが下がったということは、裏返すと競合のシェアが上がったということだからね。結局は同じことです。つまり、売上が低下する原因というのは、市場が縮小したか、シェアが下がったか、その両方が同時に起きているか、どれかなんですよ。

　マクドナルドの場合はどうだったのか。2000年代初頭、マクドナルドの売上は低迷していました。では、この時期に米国のハンバーガー業界の市場規模は縮小していましたか。どうでしょう。

▶シェアの低下は競合が原因か、自社が原因か

E｜ファストフード産業自体はインフレ率程度の成長と予想されていました。

牧田｜うん、市場は成熟期に入っていた。けれど、インフレ率程度でも一応成長はすると予想されていたんだね。少なくとも縮小はしていなかった。だから市場の問題ではないということです。ということは、マクドナルドの

シェアが低下したということになる。シェアが低下したのは競合の問題なのか、自社の問題なのか。

F｜自社に問題があったからだと考えます。ケースには、2002年にマクドナルドは顧客からたくさんの苦情を受けているということが書いてありました。

牧田｜そう書いてあったよね。なぜ苦情を受けていたんだっけ。

F｜QSC&VのSが低下したからです。サービスが粗悪で遅く、従業員のプロ意識も低く、間違いが多かった。

牧田｜もう言われ放題だよね。おかしいよね。マクドナルドはずっとQSC&Vに力を入れていたのに、それがダメになってしまった。ここで「おかしいぞ」と思わなくてはいけない。そして、「おかしい」と思ったら、その原因を追及しなくてはいけません。なぜこういうことになってしまったんでしょうね。

G｜オペレーションや顧客満足度を査定する評価方法が店舗ごとにバラバラで、全社で統一できていなかった。

牧田｜評価方法がバラバラになっていたっていうのも不思議だよね。

H｜先導的マーケティングに関して、顧客のニーズを把握しきれなくなっていたという面があると思います。ケースには、「あなたの笑顔が見たくて」という新しい広告キャンペーンを打ち出しても反応が薄かったということが書かれています。ポジショニングの軸がターゲット顧客に刺さっていない気がします。

牧田｜なるほど。マーケティングがうまくいっていないと。コマーシャルも響かなかった。今までうまく機能してきた経営哲学がことごとく否定されている感じですね。

I｜マクドナルドはリーダー企業としてフルカバレッジ戦略をとってきました。そうして顧客が広がっていったとき、広がったがゆえにサービスに厳しい人たちも取り込んでしまったということなのではないかと思います。

牧田｜なかなかいい視点持ってきたね。サービスに厳しい人たちというのは誰だろうというのはあるけど。でも、いい視点ですよ。

　もう一度、考えてほしいのは、市場成熟期というのはどういう時期かということです。市場成熟期には需要量よりも供給量のほうが多いんですね。

自社が成長するためには競合を倒さなくてはいけないわけ。そういう市場成熟期の顧客には、どういう特徴があるんだっけ?何回かもう説明してきたよ。

J｜ニーズが多様化します。

牧田｜そう、成熟期にはニーズが多様化する。成長期のニーズは?

J｜単一です。

牧田｜うん、成長期のニーズは単一なんだよね。成長期に顧客が求めるのは品質や機能。品質がよければ勝てる。ところが、顧客も経験値が上がるにつれ、自分の好みやこだわりが出て、わがままになっていくんだよね。「あれでなくては嫌だ」「これでなくてはダメ」と言いはじめる。企業はなんとかしてそれに応えようとする。だから、顧客はさらにわがままになる。どんどん期待値が向上していくんです。マクドナルドが悪くなっていなかったとしても、相対的に評価が低くなってしまうということがある。

　だから、クレームがたくさん出てきたという話を読んだときに、マクドナルドがダメなのか、顧客の期待レベルが上がったのか、どちらなのかを検証しないと、正しい答は出ない。どちらにしても、マクドナルドはサービスを変えなくてはいけませんけどね。もし顧客の期待値が上がったのなら、それに応えなくてはいけない。応えられれば、評価は上がるはずですから。場合によっては、従来と同じことをやっていても評価が下がってしまうという恐ろしい場合もある。従業員にインタビューして、「何やってるんだ」と追求しても、「いや、全然何も変わっていないです。今までと同じことをやっています」という答えになる。何が問題なのか全くわからないということが起きてしまいます。

マクドナルドの「勝利計画」はどのような計画か、なぜ既存店を中心にテコ入れを行ったのか

牧田｜次の問題は「マクドナルドの『勝利計画』はどのような計画か、なぜ既存店を中心にテコ入れを行ったのか」というものです。前の問題

で見てきたように、2000年代初頭にマクドナルドの売上は低迷していました。従業員の質が落ちてサービスが悪化したり、オペレーションのミスが起きたり、よくない状況になっていた。それを解決しなくてはいけないということで既存店を中心にテコ入れをしていったわけです。では、ケースに書かれていた「勝利計画」ってどういうものでしょうか。

A｜財務数値目標を設定しました。

牧田｜どんな目標だった?

A｜期限内に売上高を3〜5%伸ばすこと、前年比売上成長の半分以上が既存店によるものであること、年間のマージンを平均30.35%上げることなど……。

牧田｜そうだね。さまざまな財務指標を向上させていくことを考えて目標を立てた。

B｜規模より質を求めることに重点を置きました。

牧田｜そうね。質を重視した。

C｜5Pの展開をしました。

牧田｜5Pね。マーケティングを教えている立場からすると、マーケティングはProduct、Price、Place、Promotionの4Pで、5Pっていったい何なんだって思っちゃうけど。それはまた後で考えていきましょう。

D｜店舗オペレーションを再構築しました。

牧田｜うん、いろいろなことをやっているよね。「雲」が出てきました。規模より質を求める。新規店舗ではなく既存店を重視する。品質、サービスを担保しながらオペレーションの効率化を進める。財務目標を立て財務規律を厳格にする。覆面調査など評価プログラムで品質、サービスを担保する……。こういう、いろいろなことをやったわけです。では、なぜ新規店舗ではなく既存店を重視したんでしょうね。

▶顧客の期待にどう応えるか

E｜新規に設備投資を行っても、その投資に見合う効果が出ていなかったからだと思います。既存店、既存顧客の満足度を上げることを

再優先課題と認識したのだと思います。

牧田｜なるほど。新規投資でうまくいかなかったから既存店を重視した。

F｜売上低迷の原因は、市場が成熟したことによって、顧客のマクドナルドへの期待値が変化したことだと考えられます。そのときに解くべき問いは、どうやってその期待値に答えるかということになります。その策としては、新規の出店ではなく、既存店のオペレーション改善だったのだろうと思います。

牧田｜顧客の期待値が上がった。その期待に応えるためには既存店が大事と。では、なぜ既存店なんだろう。顧客の期待値が上がると、なぜ既存店をテコ入れすることが重要になるんですか。

G｜まず、全体の売上を上げるには既存店の売上を上げるか、新店を出店するかのどちらかになります。マクドナルドはお金をかけて新店を増やしてきました。けれど、それに見合った効果が得られませんでした。一方、既存店は売上が下がっていました。既存店の売上が下がった原因は、先ほども意見が出ていたように、顧客の期待値が上がったことによって、今までやってきたことでは満足しないお客が増えて客離れが進んだことと考えられます。この状況の中で、新店を出し続けたとしても、一時的には売上が上がったように見えるかもしれないけれど、最終的には既存店と同じ状況になってしまいます。だから、まず既存店のテコ入れを行ったのだと思います。

牧田｜なるほど。そのロジックはナイスだね。OK。

　今まで学んできたことを使って考えますよ。市場は成熟化しているんだよね。そういう中でパイを伸ばすのはとても大変です。市場は成長していないわけだから、自社が成長するにはライバルの売上を奪わなくてはいけないということになる。実際、マクドナルドはそれで失敗しているわけです。そういう状況下においては、既存店舗があるならば、そのクオリティを向上しなくてはならないということです。クオリティに関して、このときに問題になっていたのは従業員の質、オペレーションなので、顧客の期待値に応えるために、既存店のオペレーションを改善することにした。既存店の質の向上を図ったということですね。

　今、Gさんが言っていたように、新規出店すれば、短期的には売上は

上がるよね。 経営陣って短期的でも見かけだけでも売上増加を求めるから、 たいていの場合、 新規出店をしたがります。 そんなとき、 ミドルマネジャーである皆さんは、 今のロジックを使って止めなくてはいけない。 そんなことをするくらいなら、 既存店のオペレーションを充実させることが必要だと。 そうでなくては既存の顧客が離反してしまいますよと意見して、 止めなくてはいけないんです。 それができるかどうかがすごく大切です。 マクドナルドは経営陣がきちんと理解していたから、 既存店のクオリティ向上を図ったということなんだね。

マーケティング・ミックス（4P）に、
なぜPeopleを足したのか

牧田｜ では次のテーマです。「マーケティング・ミックス（4P）に、 なぜPeopleを足したのか 」。 マーケティング・ミックスはわかるね。 製品、 価格、 チャネル、 プロモーション。 Product、Price、Place、Promotionの頭文字をとって4Pです。 通常は、 この4Pを組み合わせてマーケティング目標を達成しようとするわけだけど、 それにPeopleを足したと。 どうしてマクドナルドはこんな変なフレームワークをつくったんでしょうね （笑）。 マーケティングを教えている立場からすると、 5Pにするって全く意味がわからないんだけど （笑）。 皆さん、 僕の代わりに説明してください。

▶Peopleが加わった理由をポジショニングから考える

A｜ はい、 マクドナルドの経営の哲学にはQSC&Vがあり、 それを実現するためには人を大事にすることが重要だという考えがあったので、 加えたのだと思います。

牧田｜ それならマーケティングじゃなくて、 理念の方にPeopleを入れればいいんじゃない?QSC&V+Pって。

A｜ただ、今回、経営の再建をしなくてはならなくて、マクドナルドはもともと従業員を熱心に教育することで利益につなげていこうという方針があったので原点に立ち返って……。

牧田｜うん、だから理念の方に入れればいいよね。なんでマーケティング・ミックスに入れたの？僕ならレイ・クロックに言うね。マーケティングに入れるのはおかしいと。

B｜Peopleには顧客と従業員の両方の意味があると思います。飲食業界において従業員は顧客に価値を届ける最後の人なので、その人たちを大事にすることは既存店のテコ入れをするためには不可欠と考えたのだと思います。顧客重視はすでにそれまでもやっていたことですが、引き続き、大事にしていかなくてはいけないということを明確にしたのだと思います。

牧田｜大事にするのはいいけど、なぜ、あえてマーケティング・ミックスに入れる必要があるんですか。顧客を重視する経営哲学なら、そっちに入れればいいっていう話になる。ここは、マーケティング・ミックスになぜpeopleを足したのかと聞かれているのだから、「マーケティング上、こういう理由があるから」と答えないといけない。

C｜市場が成長期から成熟期に変化していることが大きいと思います。市場が成長期ならば供給の論理が通るけれど、成熟期には顧客視点にしないと売れない。4Pだと供給側の論理でつくってしまいがちになるので、あえて、顧客側の視点を加えるということでpeopleを加えたのではないかと。

牧田｜でも、もし顧客志向が重要でpeopleが加わるべきだというのなら、とっくの昔にコトラーが5Pにしているはずだよね。コトラーだって、ずっと「顧客志向が大事だ」と言っていたんだから。

C｜……はい。

牧田｜でもコトラーは5Pとは言っていない。マクドナルドはコトラーが加えていないPeopleをなぜ入れたのか。

D｜はい。これはマーケティング戦略立案のプロセスにかかわる話だと思います。

牧田｜お、何かいいこと言い出したな（笑）。はい、続けて。

D｜4Pはポジショニングから導き出されるもので……。

牧田｜そうなんだよね。 4PというのはSTP、つまりセグメンテーション、ターゲティング、ポジショニングがあって、その後に決まっているわけ。その4PにPeopleを足したということは、STPが間違いなく影響しているということです。ポジショニングのどこかにPeopleが出てきて、それが差別化要素だとなっているはずなんです。それは何なのかということを解明していきたい。

▶差別化要因として人が出てきた

牧田｜マクドナルドも、STPが影響した結果、Peopleが出てきたわけ。ポジショニングの軸のどこかに、差別化要因として、人が出てきたはずなんです。 さあ、 ではマクドナルドは誰をターゲット顧客に設定し、何をポジショニングの軸に据えたからマーケティング・ミックスにPeopleを足したのか。皆さんに考えていただきたい。大切なことは、この一連の流れを整合性を持って、つながりを持って説明することです。ターゲット顧客はどういうポジショニングの軸なら喜ぶのか。それを実現するPeopleというのは何なのか。まずは皆さん、一人ひとりで考えてみましょう。

（一人ひとり考える）

牧田｜はい、 では一度やめてください。 次に周りの人と意見交換していただきます。その間に、前に出てきて黒板にポジショニングを書ける人はいますか。挑戦してみたい人。はい、じゃあFさんとGさん、お願いします。

（周囲の人と議論。その間に2人の受講生が板書する）

牧田｜書き終わりましたか。では、Fさんから、マクドナルドが設定したポジショニングとなぜマーケティング・ミックスにPeopleを足したのかを説明してください。

F｜はい。ハンバーガー市場はすでに成熟期に入っていて市場は拡大

してはいません。その中でもリーダー企業であるマクドナルドはマス市場を取りに行きたい。子どもが来る店であれば、親も来るし、おじいちゃん、おばあちゃんも来るのでマスを取りに行ける。そこで私はターゲット顧客を子ども連れのファミリー客に設定しました。ファミリーが来やすい店にするためのポジショニングとして、横軸は子どもが来たときの楽しさを据えました。右側に来るのは子どもが来たときに楽しい。遊具があって遊べるような店です。左側は落ち着いた雰囲気の店です。縦軸はスタッフのキャラクターで考えました。上の方向はフレンドリーさ。反対の方向はエレガントさです。マクドナルドは右上の象限に入ります。子どもが遊具などで遊べる。スタッフはフレンドリー。競合のハンバーガー店を見ると、スタッフはフレンドリーだけど少し落ち着いた雰囲気なので、右上の象限はマクドナルドが独占できると考えます。こうした店にするには、子どもが喜ぶ、行って楽しかったと思うようなフレンドリーな対応ができるスタッフをそろえる必要があります。そこで4PにPeopleを足したと考えました（図表36）。

図表36 | **実際の授業風景**

▶リーダー企業はターゲット顧客を広く設定すべき

牧田｜じゃあ皆さんから、Fさんに質問してください。

H｜マクドナルドは業界でトップシェアをとるリーダー企業なので、ターゲット顧客は広く設定すべきだと思います。ファミリー客に設定してしまうと、ターゲットが狭くなってしまうんじゃないでしょうか。子どもが本当におじいちゃん、おばあちゃんを連れてくるかどうかはわからないし……。

F｜子どもが「行きたい」と言えば、少なくとも親は行くでしょうし、兄弟も行く。休日であれば、おじいちゃん、おばあちゃんが行くこともあって、みんなが行くようなお店になるのかなと考えました。

I｜ケースには大人向けのハッピーミールを発売している話が出てきました。そういう観点からいうと、なぜターゲット顧客を子どもに絞るのかというのが疑問です。

F｜確かに落ち着いた雰囲気を好む大人の方はいると思います。そこは残念ながら捨てる。子どもを軸に据えると家族や友達を連れてくるので大人数になる。そちらの効果が大きいと考えてターゲットとしたということです

牧田｜なるほど。はい、いいですよ。Fさん、有り難うございました。次はGさん、説明をお願いします。

G｜私はターゲット顧客をマクドナルドから離れて行ったお客と設定しました。これからのマクドナルドは丁寧なサービスと既存店の改善が必要です。ポジショニングについては縦軸を「回転率重視」と「丁寧なサービス」という方向性で設定しました。横軸は「新規出店してアクセス重視」という方向性と「既存店の設備投資などの改善重視」という方向性にしました。競合店をプロットするというより、過去のマクドナルドとこれからのマクドナルドが別の象限に入るようなイメージです。ポジショニングで重要となる丁寧なサービスをするためには質の高い従業員が必要なので、マーケティング・ミックスにPeopleを加えたと考えました。

牧田｜はい、ではGさんにも皆さんから質問してください。

J｜「既存店の設備投資などの改善重視」っていうのは、具体的にどういうことでしょう。

G｜新規店に投資する経営資源を既存店に振り分けるということで、設備、たとえば椅子とテーブルとか、そういうものをよりよいものにするというイメージです。

K｜ポジショニングというのは、顧客にとっての違いを明らかにしないといけないものですけど、「新規出店してアクセス重視」と「既存店の設備投資などの改善重視」の違いは顧客に理解できるのでしょうか。顧客はどう判別するのかなと思ったんですが。

G｜店内で、リニューアルしたことがわかるようなアピールをするとか、そういう手法があると思います。

牧田｜はい、いいですよ。まずは挑戦したFさんとGさん、ナイストライですね。皆さんもなかなか鋭い。いいところに気づいて質問をしていた。

▶マクドナルドのターゲット顧客は老若男女

牧田｜フィリップ・コトラーは「競争上の4つの地位」で企業をリーダー、チャレンジャー、フォロワー、ニッチャーの4つに分類できるとしていたよね。そしてマイケル・ポーターは企業のとり得る戦略はコストリーダーシップ、差別化、集中に分けられるとしていた。マーケティング戦略立案の流れがいちばん使いやすいのは、コトラーの「競争上の4つの地位」ではチャレンジャー、ポーターの基本戦略では差別化。なぜならば、ターゲット顧客を特定するから。

じゃあ、リーダーでコストリーダーシップをとるような企業がマーケティング戦略立案プロセスを使うときにはどうすればいいのか。そもそも、ターゲット顧客という考え方が違うんだよね。ターゲット顧客を選び出すということは、他は捨てるということ。他は優先しないっていうことなの。今、Fさんはターゲット顧客をファミリー客と設定し、Gさんは離れて行ったお客と設定していたけれど、それは、ファミリー以外のお客はいらないと言っていることと同じだし、今いる顧客は尊重しないと言っているのと同じなんです。

マクドナルドはリーダー企業でコストリーダーシップをとってきましたね。株

式公開後からずっと消費者のニーズを聞きながら、肉が食べられない人には「フィレオフィッシュ」を提供するとか、なんとか工夫して顧客を広げてきました。そういうマクドナルドにとってのターゲット顧客は老若男女になる。みんななの。さあ、困ったよね。そういう場合って、ポジショニングはどう設定すればいいんだろう。

皆さんの中で、ターゲット顧客を老若男女と考えた人、手を挙げてみて。ああ、結構たくさんいらっしゃいますね。いいですよ。じゃあ、聞いてみたい。老若男女がターゲット顧客なら、ポジショニングはどうすればいいんだろうね。どうしました？

L｜私はサービスと利便性をポジショニングの軸に設定しました。現状の問題点を踏まえると、顧客満足度が落ちているということなので、サービスを上げること、それから自社の強みであるオペレーション・エクセレンスを極めていくと、利便性が強みになると考えました。

牧田｜方向性は間違ってないんだけど、もう一度、ケースを見て。マクドナルドは何の評価が低かった？何がダメだった？

M｜従業員のオペレーションです。

牧田｜そうだね。他にはどうだろう。

N｜サービスが粗悪で遅い。

牧田｜うん、スピードが遅いっていう指摘があるよね。それならスピードを速くしなくてはいけないだろうということになります。スピードを速くするにはどうすればいいかというと、品種を減らすか、オペレーションのプロセスを変えるかです。それで速さを確保できます。他にどんな問題があった？

O｜間違いが多い。

牧田｜そうだね。間違いが多いのなら、人間の脳みそに頼ってはいけないということですよね。デジタル化を進めなくてはいけないということになる。他に問題はありますか。

P｜プロ意識が低い。

牧田｜そう。プロ意識の低さも指摘されている。マクドナルド大学に突っ込ませて、もう1回教育し直すしかないよね。そこが手薄になっていたんじゃないかっていう反省が必要なわけです。つまり、顧客の期待値は上がっているんだけど、それに応えられていない。マクドナルドが顧客からフィード

バックを受けるために設置している意見箱でも何か指摘されていましたね。

Q｜顧客に対するサービスレベルが低下していることがわかりました。

牧田｜うん、やっぱり顧客の期待値は上がっているのに、それに応えられていないっていうことだよね。顧客が何に不満があるのかは調査しないといけないけどね。おそらくスピードなどでしょう。他にはどうですか。

R｜苦情に対する改善の努力が足りない。

牧田｜うん、コールセンターが充実していないとか、何か苦情を言ったとき、それに対する反応が目に見える形でないとか。そういうところを改善していかないといけないですよね。苦情があったときには必ずコールセンターが何時間以内に対応するとかね。ターゲット顧客は老若男女であっても、サービスレベルをチャネルのところでこのように向上します、人についてもこうして向上させます、と説明できればいいわけです。

▶リーダー企業は70点、80点の製品でいい

牧田｜原理原則でいうと、業界トップのリーダー企業がポジショニングマップをつくるときというのは差を出しづらいです。老若男女を満足させなければならないからね。

マーケティングでは有名な格言があります。「八方美人は八方塞がり」。みんなにいい顔をしようとすると、八方塞がりになって、特徴のある製品、サービスは出せない。だから、リーダー企業のポジショニングはつくりにくい。でも、リーダー企業の場合はそれでいいんです。むしろ無理に特徴を出さない方がいい。100点満点じゃなく、70点、80点の製品をつくってマスを取っていけばいいんです。

ラーメン店を思い浮かべるとイメージしやすいよね。小規模なラーメン店というのは差別化で勝負するので特徴があります。それに対して幸楽苑や日高屋のような業界大手企業は、特徴ある製品はあまり出さない。出せない。70点、80点のそれなりの製品でマスを取るという戦略だから。ある種、割り切っていますよね。

マクドナルドも同じ。特徴のある製品を出す必要はない。そうやって割り

切りつつ、顧客が不満に思うところを解決していけばいいんです。

　2000年代初頭の売上が低迷した時期に、マクドナルドに対して顧客が抱いている不満を解決するためには、人にかかわる部分の改善が不可欠だった。人の要素が非常に大きかった。だから、マクドナルドはマーケティング・ミックスにPeopleという軸を出してきたのです。

　サービスを向上し、スピードを早め、ミスがないオペレーションを実践できる人たちを育てていくという宣言として、Peopleを加えたということになるわけです。

「勝利計画」で成果を出している マクドナルドに対し、経営参謀として どのような成長戦略を提言するか

牧田｜では最後のアサイメントです。「『勝利計画』で成果を出しているマクドナルドに対し、経営参謀としてどのような成長戦略を提言するか」。

A｜マクドナルドはリーダー企業なので、成長を目指すならばチャネルを増やすしかないと思います。「勝利計画」で既存店の売上が回復したところで新規出店を再開すべきだと思います。

牧田｜新規出店を再開したら成長するのかな。市場の成長期は新規出店で自分も伸びるし競合も伸びる。でも成熟期にはただ新規出店しても伸びないよね。競合から顧客を奪うことができたら売上を伸ばすことができるけど。競合から顧客を取るために、何をしたらいいだろう。

B｜私は店舗数を増やすのではなく、質を上げていきます。人に力を注いで、サービスの向上に力を注ぐべきと思います。

牧田｜「勝利計画」で、最低限の質を向上してきたけど。この後はどうやって質を上げる?たとえば硬いプラスチックの椅子をソファにするとか（笑）?

B｜サービスの質を上げる……。

牧田｜うーん、答えになっていないな。はい、他の意見はどうですか。

▶新業態を提案

C｜ハンバーガー産業は成熟していますが、マクドナルドは飲食業界の中ではまだリーダー企業にはなっていないので、この機会に新業態をテストすることを提案します。

牧田｜方向性としてはそうだよね。どんな新業態がいいと思いますか。

C｜飲食業でハンバーガーではないところ。

牧田｜だから、それは何? 具体的に。

C｜それは……。社長が新業態の出店を承諾してくれたら、翌日に提案します。

牧田｜ハンバーガー業界が成熟しているから、違う業態を目指そうっていうのは方向性としては間違っていない。実際、外食業界ではフレッシュネスバーガーを見ても、ゼンショーを見ても、新業態に挑戦していますね。そこで、具体的にどういう業態があるかということを出していかないといけない。でも、その具体的アイデアがないなら、それは学生レベルの答えであって、MBAの答えではない。

D｜私はチャレンジャー企業が新商品を出してきたら徹底的にパクります。

牧田｜徹底的にパクる、"TTP"ね（笑）。うん、それは理にかなった戦略なんだよね。ナイスな答えですよ。

「ポーターの基本戦略」を思い出してください。コストリーダーシップを採用できるのはマクドナルドのような業界シェア1位企業のみだったね。ということは、マクドナルドのライバルとなる2位以下の企業が採用できる戦略は差別化か集中になるわけです。競合になり得るのは差別化を仕掛けるチャレンジャー。特定市場、特定顧客のニーズを満たそうと差別化を図る。リーダー企業に挑戦し、シェアを奪い取ろうとするわけだね。

ちょっとここで差別化戦略について確認しておこう。差別化を機能させる

には3つの条件がありました。テキストに書いてあったね。答えられる人。

E｜顧客に「有意差」を感じさせること。

牧田｜そうだね。意味のある差をつくる。98点対95点で3点しか差がないというようなのはダメ。98点対68点と30点差がつけば有意な差といえるよね。他の条件は何でしょうか。あと2つあります。

F｜簡単にマネされない差別化を実現すること。

牧田｜そう。いつかは追いつかれるけど、極力追いつかれないように、賞味期限を長くしようということだね。あとひとつ。

G｜次から次へと差別化を実現することです。

牧田｜うん。簡単にマネされない差別化をしても、いつかは追いつかれる。だから次から次へと差別化していく。じゃあ、こうやって差別化しようとしている二番手以下の企業があるとして、マクドナルドのようなリーダー企業がTPPを行うのにはどういう意味があるだろう。

H｜二番手企業の差別化を無効化する意味があります。

牧田｜そう。リーダー企業にはプロモーション力もチャネル支配力もあるからね。本気で二番手企業をつぶそうとは思っていないけど、何か売れているものがあったら、軽くそれに乗ればいいと思っている。

　差別化という戦略は"とんがる"のが基本だよね。価格とか内容とか機能とかにエッジをきかせたトッポい商品で、特定の顧客を獲得しようとしてくるわけ。そういうときにはリーダー企業は、その差別化を無意味なものにするために模倣と同質化を行うというのが原理原則です。

　それをよく実践していたのがパナソニック。松下電器産業時代にはよく「マネシタ電器」と呼ばれていました。競合他社が発売した新商品を模倣して半年以内に発売し、ナショナル・ショップなどの流通チャネルで一気に市場に普及させていました。そうやって、2位以下の企業の差別化を同質化していたんです。

　差別化を採用する企業というのは、本当は全体市場を狙いたいんです。業界1位企業のシェアを奪い取って、あわよくば、自分たちが1位のポジションにつきたいと思っている。ところが、シェアを奪い取るためには、差別化を機能させなくてはならないわけ。その差別化を機能させるには、特定市場をターゲットとせざるを得ない。なるべくとんがった特徴のある商

品を出そうということになります。でも、そうやってとんがればとんがるほど、全体を攻めることが難しくなる。特徴を出せば出すほど、1位企業から遠くなっちゃうんだよね。そういうジレンマがあります（図表37）。

それに対して、集中を採用する企業は、潔いですよね。業界1位企業と競い合うことなんて考えていません。最初から、割り切って特定市場をターゲット顧客としています。業界1位のリーダー企業は前にも説明したように、ある程度マスに受ける70～80点の商品を出していきます。チャネル支配力やプロモーション力が強いので、それで戦っていける。チャレンジャー企業の差別化はすぐに模倣して、チャネルとプロモーションでつぶしていきます。TPPは正しい戦略ですよ。

図表37 ｜ **差別化企業のジレンマ**

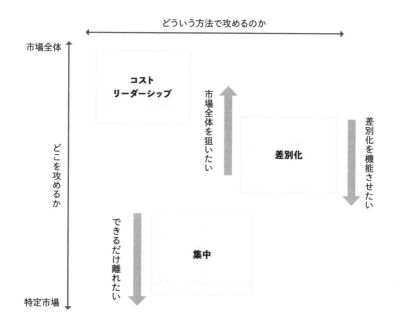

▶低価格戦略で戦争を仕掛ける

Ｉ｜マクドナルドは業界1位のリーダー企業なので低価格戦略を挑みます。

牧田｜え!? 低価格戦略（笑）？

Ｉ｜はい。 競合をイグジットさせなくてはいけないので。 競合がイグジットした後はシェアが上がるので、 それから利益を取りに行きます。 BCG-PPMのフレームワークでいうと、 この事業を金のなる木に移し、問題児のところに投資を増やしていきます。

牧田｜さっき、コストリーダーシップ戦略と低価格戦略は同じかという話をしたね。 答えは 「戦時」 と 「平時」 で違いました。 戦争状態の中で敵をたたきつぶそうというときには低価格戦略も有効に機能する。 一方、 平時に自ら低価格戦略を仕掛ければ、 収益を減らしてしまうし、 市場規模自体も小さくしてしまいます。

ここでマクドナルドが低価格戦略をとるということは、 自ら戦争を仕掛けるということだね。 確かに、 それで競合をイグジットさせることも可能ではあります。 ただ、 戦争を仕掛けるからには、 本当に競合をイグジットさせないと意味ないですよ。 値上げした瞬間にまた時計の針が元に戻っちゃうから。

日本でも米国でもそうだけど、 ハンバーガー市場は上位3社でシェア90%を占めている。 顧客はそんなにハンバーガーに好みやこだわりはないんだよね。「食べられればいいや」 という感じでしょう。 だから、 値下げすればすぐに来てくれるけど、 値上げしたらまたすぐに去っちゃう。 競合の息の根を止めないといけない。 そこまでやれるかどうかいうことですね。

ここで、「どんな成長戦略を提言するか」 と聞いているけど、「成長するのは難しい」 という答えもありるんですよ。 経営陣はみんな成長させろ、成長させろと言うけど、 成熟市場なんだから無茶言うなっていう感じだよね。「今のままで十分だ」 という考え方もあります。

さっき、 マーケティング・ミックスになぜPeopleを足したのかを検討したね。 そこでも、 ターゲット顧客が 「老若男女」 「みんな」 だから、「コトラーのマーケティング戦略立案プロセスは使えません」 という答えを出して

も花丸です。だってうまくできないんだから。

　この講義では皆さんにフレームワークの使いこなし方を学んでいただいていますが、何度も言うとおり、フレームワークは万能ではありません。万能ではないので限界がある。その限界を知ったうえで、使えるところで使うというのが、本当のフレームワークの使いこなし方になるということです。

第**3**講 LVMH モエ・ヘネシー・ ルイ・ヴィトン

参考資料

雑誌記事

「LVMH： スター・ブランド の育成法」

『DIAMONDハーバード・ビジネス・レビュー』
2002年3月号

CASE

　1948年、LVMHモエ・ヘネシー・ルイ・ヴィトン（以下LVMH）は傘下に多数の高級ブランド企業を擁する持株会社で、フランス有数の新興企業であった。

　LVMHの会長兼CEOのベルナール・アルノー氏は1989年、弱冠40歳のときにLVMHの支配権を獲得。その後も高級ブランド企業を次々に買収して拡大を続けた。

　グループの1997年の売上高は480億フランス・フラン（約1兆800億円）、純利益は48.7億フラン（1100億円）で業績は順調に推移していた。

事業の構造

　LVMHの事業はワイン・スピリッツ、ファッション・レザーグッズ、フレグランス・コスメティクス、ウォッチ・ジュエリー、セレクティブ・リテーリングという大きく5つの事業セクターから成る。「モエ・エ・シャンドン」「ヴーヴ・クリコ」「ルイ・ヴィトン」「クリスチャンディオール」「セリーヌ」などの有名ブランド会社が傘下に入っていた。

　ベルナール・アルノー氏は1949年生まれの49歳（2008年現在）。1971年にパリの名門校エコール・ポリテクニーク（パリ理工科大学）を卒業後、父親が営む建設会社に入社し、1974年には社長に就任した。1982年から1984年にアメリカに赴任し不動産事業に従事すると同時にアメリカ流の事業戦略（特に買収・合併）をつぶさに見て強い印象を受けたといわれる。

　1970年代、初めてニューヨークを訪れ、空港からタクシーに乗った際、運転手が「フランスの大統領は知らないが、クリスチャンディオールなら知っている」と言うのを聞いて、ブランドの潜在力と価値に気づいたとされる。後に経営危機にあった国営繊維企業ブサック・サンワレールを買収し、傘下のクリスチャンディオールを獲得する。

▶クリスチャンディオール社の経緯

　ここで一旦話を移して、クリスチャンディオールという会社の経緯を概説する。

　クリスチャンディオール社はデザイナーであるクリスチャン・ディオールとパトロンとなるマルセル・ブサックの出会いから始まった。丸みを帯びて曲線を強調した肩と胸のライン、細く絞ったウエストを特徴とするジャケット、柔らかい布をたっぷり使い、ペチコートで膨らませてフワッと踵まである華麗なシルエットのスカートと、女性らしさを最大限に引き出すデザインで絶大な人気を獲得した。

　1957年にクリスチャン・ディオールが心臓発作で急逝すると、アシスタントであったイヴ・サンローランが主任デザイナーを継いでさらなる成功を収めた。サンローランが徴兵に出た後はマルク・ボアンが30年間、ディオールののれんを守った。まじめにディオールの意志を受け継いだボアンだが今ひとつパワー不足だった。

　1978年に、マルセル・ブサック・グループがクリスチャンディオールの99.8％の株を所有することになった。しかしブサック帝国は、1970年代の世界的な経済危機と産業界再編の波に翻弄され、財政的にどん底に陥り、1978年に破産に至る。会社はアガシュ＝ウィロ・グループに救済されたが、同社もアメリカの流通大手コーヴェットの買収に失敗して資金難に陥り、1981年公的再建を申請した。当時のミッテラン政権は3万人近い従業員の運命を救うために4億フランの資金援助と管財人を送ってグループ救済を図ったが、1983年、大幅な赤字を出して行き詰まった。

▶アルノーによるディオール社経営参加

　米国に3年近く住み、資本の論理を重視したアングロサクソン流の経営手法と、世界を意識したビジネスに目覚めていたアルノーは1984年、ブサックを買収。クリスチャンディオールを手に入れる。

1987年、アルノーはシャネルのプレタポルテ担当マネジャーとして復活・活性化に貢献したベアトリス・ボンジボー女史を副社長に引き抜く。ボンジボーが任されたのはマンネリ化したクリスチャンディオールの立て直しであった。ボンジボーは着任後、ディオールがモードのトレンド・セッターになるように攻めの改革を行った。1989年、マルク・ボアンに代わってイタリア人の大物デザイナー、ジャンフランコ・フェレを起用する。

ジャンフランコ・フェレは1944年イタリア生まれ。1969年にミラノ工科大学の建築学科を卒業した建築家でもある。構築的なシルエットとインド風のデザインが特徴でシンボルカラーは赤。ミラノのファッションシーンでは実力・人気ともに第一人者でジョルジョ・アルマーニ、ジャンニ・ヴェルサーチとともに「ミラノの3G」と呼ばれていた。

クリスチャンディールにイタリア人デザイナーを起用したことはパリのファッション界に大きな衝撃を引き起こした。「ディオールはフランスの華ではないか。それをイタリア人の手にゆだねるとは……」といった驚きと非難の声が集中した。モナコのキャロライン王女のように、ボアンがデザインしないディオールは着ないと宣言した顧客さえいた。

そんな中、1989年7月パリで開かれた、フェレによる初のコレクションは新聞各紙の絶賛とデ・ドール賞（金の指貫賞）の受賞という形で返ってきた。2回目のコレクションが終わった頃には、ほとんどの人がフェレのディオールに納得していた。より若々しく大胆に生まれ代わったクリスチャンディオール社は売上を飛躍的に伸ばした。

経営理念

LVMHは1987年、ルイ・ヴィトン社とモエ・ヘネシー社が合併して誕生した。ヴィトンの狙いは乗っ取り防止であったといわれるが、モエ・ヘネシー株を所有していたアルノー氏を招き入れる結果となり、ルイ・ヴィトン会長ラカミエ氏とアルノー氏との間の1年半にわたる激しい攻防の末、アル

ノー氏は1989年、40歳のときにLVMHのトップの座についた。

アルノー氏はその後もシャンパンの「ポメリー」、ファッションの「KENZO」、香水・化粧品の「ゲラン」、皮革製品の「ロエベ」ら高級ブランド企業を次々に買収し拡大を続けた。1996年には高級ブランド品販売店チェーン「デューティー・フリー・ショッパーズ（DFS）」、1997年に高級化粧品セルフ販売店チェーン「セフォラ」を買収。流通網に進出した。

アルノー氏は1997年1月の社内誌に「LVMHグループの価値観と目的」と題する署名記事を書き、経営理念を次のように明確化した。

LVMHグループの使命は、西洋の"Art de Vivre"（人生を豊かに楽しく）をもっとも洗練されたかたちで表現する使節として行動し、その製品と企業文化を通して伝統と現代性を調和することによって、毎日の生活に夢を与えるよう努める。そのためにLVMHの社員は5つの基本価値を共有する。

1 ｜ 創造性と革新
2 ｜ 製品の卓越性の追求
3 ｜ ブランドの確立
4 ｜ 起業家精神
5 ｜ 最高を目指す

▶運営組織

　LVMHはフランス国外の売上高が85%以上を占め、海外に多数の子会社を擁する国際企業であった。LVMHの傘下には16の親企業と世界中に275の子会社があった。各社のブランド・アイデンティティの維持は最優先事項と考えられ、LVMH本社が各社の経営を強くコントロールすることなく、傘下企業の自立性を認める分権的経営を組織運営の基本方針としていた。しかし、世界的に活動する大企業として、流通・ロジスティックス・メディア関係（広告、パブリック・リレーションズ）、財務・会計、購買、人事などの面で規模の利益や相乗効果をあげることは重要な利点のはずである。アルノー会長もグループ内のシナジー効果を重視していた。

　LVMHのパリ本部には180人の社員がおり、財務（M&Aを含む）、税務、法務、人事の各部門がおかれていた。営業活動などオペレーションは傘下各社に任されていたが、経営戦略の策定と予算、ブランドのマネジメントは本部が集中的に管理していた。世界中に広がる多様化した事業会社、しかもそのほとんどが買収合併によりLVMHの傘下に入った各社をまとめるうえで、マネジメント・コントロール・システムだけでなく、経営理念の共有が重要な役割を果たすと考えられ、アルノー会長もグループ共有の価値観と目的を強調するようになった。2〜3カ月毎に開かれる経営幹部の会議、幹部や社員の研修、グループ社内報（年4回発行）、共通世界の人事評価制度（英文）などによって世界的なグループの統合をサポートした。

▶人的資源のマネジメント

　LVMHは本社と各地域に人材委員会を設置して、優れた人材の採用・育成・評価・報酬を検討していた。LVMHにとって中核的人材はマネジャーとデザイナーなどのクリエイターまたは芸術的プロフェッショナルたちであった。

高級ブランド企業を多数擁するLVMHは、デザイナーなど芸術的才幹の採用・確保と動機づけをグループの盛衰を左右する要因として重視していた。クリスチャンディオールにフェレをスカウトして沈滞を打破したほか、クチュール・メゾン・ジャンパトゥの主任デザイナー、クリスチャン・ラクロワをスカウトして、その名のクチュールを創設した。その後も、フェレの後任にイギリス人ジョン・ガリアーノ、ジバンシイの主任デザイナーに若いイギリス人アレクサンダー・マックイーン、グループ中核企業であるルイ・ヴィトンのデザイナーに若いアメリカ人マーク・ジェイコブズをスカウトした。傘下各社のデザイナーにはフランス人に限らず、外国からもトップクラスをスカウトして多国籍のアーティストを集めていた。

　LVMH傘下の各社はいずれも歴史のあるブランド企業であるが、LVMHは最近傘下企業間の人事異動を活発化しようとしていた。財務、人事など管理部門のマネジャーの部門間異動だけではなく、マーケティングの担当者の部門間異動も見られるようになった。

　LVMHは近年、国際企業としての人材と管理に力を入れていた。世界中の事業会社の幹部としてトップ・エグゼクティブ・ランクのマネジャーが300人、幹部候補としてハイポテンシャル（HP）のカテゴリーに300人がいた。

　またレディ・トゥ・ムーブ（Ready to move）というカテゴリーの人が約100人いる。それは3年乃至5年の間同一の仕事に従事しており、その間5段階の評価で上位2ランク以上の者で、国内外を問わず異動・昇進が可能とされる者である。以上3つのグループの人々は相互にかなり重複しており、あわせて計500人といわれる。以上のようなLVMHの経営人材はフランス人・外国人を問わず世界組織の要衝を担う人材として、パリのLVMH本社が人材マネジメントの責任を負っていた。

▶アジア危機と経営課題

　LVMHのアルノー会長は、1997年を振り返って、難しい経営環境にもかかわらずよい成果をあげた年だったと述べた。LVMHグループの事

業分野の多様性と経営活動の地域的広がりは他社にない強みであり、相対的によい業績をあげることができた原因である。DFSとセフォラの買収はLVMHの事業構造の新展開を示すものである。アジアの経済危機は日本以外のアジアに大きな影響を及ぼしたが、アジア市場の約7割を占める日本ではLVMHグループの商品への購買意欲は依然として強い。

　1989年のLVMHの成立以来10年間にグループの売上高は130億フランから480億フランに急伸し、年率12.3%の成長を遂げた。LVMHはブランド・ポートフォリオをさらに充実させ、より創造的、より積極的な経営によってマーケット・シェアを引き上げてゆく。

アサイメント

　さあ、ケースを読み終わったところで、本ケースに対するアサイメントをご覧いただこう。このアサイメントをそれぞれ検討したうえで、以下の実況中継を読み進めてほしい。アサイメントを検討するためには、再度ケースを読みこなさないといけないことも多いはずだ。何度もケースとアサイメントを行き来し、自分なりの見解ができたところで、この先を読み進めていこう。

第3講 │ アサイメント（課題）

- ☑ なぜLVMHは、DFSとセフォラを買収したのか、市場成長の段階を考えながら検討せよ

- ☑ バリューチェーン上、LVMHで重要な企業活動は何か

- ☑ なぜベアトリス・ボンジボー女史はジャンフランコ・フェレを起用したのか

なぜLVMHは
DFSとセフォラを買収したのか、
市場成長の段階を考えながら検討せよ

牧田｜次はLVMHモエ・ヘネシー・ルイ・ヴィトンのケースを見ていきましょう。LVMHは傘下に高級ブランド企業を擁する持株会社です。「ルイ・ヴィトン」「ロエベ」「セリーヌ」「クリスチャンディオール」「モエ・エ・シャンドン」など、数多くの有名ブランド企業を抱えています。

　会長兼CEOのベルナール・アルノーはフランス人ですが米国に留学して投資銀行流のビジネス手法を学びました。その手法を活用し、さまざまなハイブランドを買収し、再生させ、一代でLVMHグループをつくりあげています。非常に優秀な経営者です。アルノーを取り上げた半生記などもあるので、ぜひ読んでいただきたいですね。

　マクドナルドでは「ファウンダー」という映画を紹介しました。LVMHについては直接的に扱っている映画はないのですが、クリスチャンディオールなどが競合するイヴ・サンローランを取り上げた「イヴ・サンローラン」という映画があります。イヴ・サンローランはクリスチャンディオールの優秀なデザイナーでもあった人で、映画の冒頭にはディオールが登場します。

　イヴ・サンローランの少し前の時代を描いた「ココ・シャネル」という映画もあります。それまで、ウエストをギュッとコルセットで締めて、ものすごく長いスカートをはくというのが一般的なヨーロッパのハイブランドのファッションだったのですが、シャネルはそれを嫌い、「女性はもっとシンプルな服を着るべきだ」とデザインし、非常に人気を集めました。こうしたさまざまな才能の開花によって、フランスのファッションは進化していきました。

　これらの映画は当時のファッション業界の状況やブランドビジネスの雰囲気などがわかると思うので、ぜひご覧になってください。

▶製造業が流通業を買収するメリットとは

牧田 | ではLVMHの話をしていきましょう。 最初に取り上げるテーマは「なぜLVMHは、DFSとセフォラを買収したのか、市場成長の段階を考えながら検討せよ」というものです。

　LVMHは多くのブランド企業を抱える製造業ですが、1996年に高級ブランド品販売チェーンのデューティー・フリー・ショッパーズ（DFS）を、1997年に高級化粧品セルフ販売店チェーンのセフォラを買収しています。この両社はいずれも流通業だよね。モノづくりの会社がなぜ流通業を買収したのか。市場成長の段階を考えながら検討していきましょう。市場成長のステージについては、この講義で何度も説明してきましたね。市場成長期と市場成熟期があります。これを考えながらどう説明するかな。

A | LVMHのそれまでの主要顧客は欧州と北米の消費者です。でも、それら欧米市場はもう成熟していて、これ以上伸びるのが難しいという段階にあり、別の市場を狙う必要があります。おそらく、LVMHは日本を含むアジア地域太平洋地域がこれから伸びると想定していたはずです。DFSはアジア太平洋地域で顧客接点を持つ会社なので、そこを買収することで、今後伸びていくであろうアジア太平洋での事業ポートフォリオを手に入れられるという判断があったのだと思います。

牧田 | いい答えだね。ナイスです。欧州、北米はもう成熟市場であった。一方で、この時代は日本を含むアジアが成長すると見られた。日本がまだいい時代だよね。成長市場である日本やアジアで顧客接点を持ちたい。そのひとつとしてDFSを買収した。

B | LVMHは当時リーダーのポジションを獲得していました。新たな市場をつかむには今、お話が出ていたようにアジアへの投資が必要だと思います。同時に、今後、成熟期の北米市場でよりシェアを高めていこうとするにはコスト削減が必要です。川下にも手を伸ばすことで効率的な流通が可能になると考えたのだと思います。

牧田 | なぜ流通業を買収するとコスト削減ができるの？

B | 流通量を増やすことができて、規模の経済がきくからです。

牧田｜流通量、増えるの?小売店を買収すると、バンバン売れるようになる?

B｜効率的な流通のシステムをつくることができるので……。

牧田｜あれ、なんか量の話がなくなっちゃったぞ（笑）。コストが削減できるというのは合ってるんだよ。実際にコストは削減できたんだけど、なぜ、流通業を買収すると、コストを削減できるんだろう。

C｜ファイブ・フォーシーズ分析で考えると、流通チャネルを買収することで、LVMHの流通業界に対する交渉力が上がるのでコスト削減できるのだと思います。

牧田｜面白いこと言ったね。交渉力ね。流通業界に対する交渉力が上がると。

　ファイブ・フォーシーズ分析の話が出たので、ここでちょっと確認していきますよ。前に説明したように、ファイブ・フォーシーズは現状分析に使うフレームワークですね。現状分析の中でも業界環境を見るときに使います。ファイブ・フォーシーズ、5つの力が競争戦略に影響すると考えます。では、この5つの力ってなんだろう（図表38）。言える人。はい、Dさん。

図表38 ｜ 実際の授業風景

D｜売り手と買い手と新規参入企業と……。

牧田｜それはプレイヤーの説明だよね。力ではない。今、聞いているのは5つの力です。買い手のなんとかと、売り手のなんとかという具合に、力を答えて。

E｜売り手の脅威と、買い手の脅威と……。

牧田｜え?

E｜あ、違いますか。

牧田｜微妙に違う(笑)。しっかり勉強しようぜ!答えられる人。

F｜売り手の交渉力、買い手の交渉力、新規参入の脅威、代替品の脅威。それからえーと……。

牧田｜あとひとつ。真ん中が抜けてる。

F｜既存の競合との……。

牧田｜競合との何?

F｜……。

牧田｜既存の競合までは合ってる。競合の何かな。わかる人。

G｜既存の競合の敵対関係。

牧田｜そう。業界内の競合他社との敵対関係だね。では、ファイブ・フォーシーズ分析はこれらの5つの力を見て、最終的に何を明らかにするんでしょうか。

H｜その業界にうまみがあるかどうかです。

牧田｜うまみ!なかなか粋な表現だね(笑)。

一同｜(爆笑)

牧田｜合ってるよ。うまみっていうのは初めて聞いたけど(笑)。うまみってどういうことだろう。解釈できる人いる?

I｜利益が上げやすいということです。

牧田｜そうそう。利益が上げやすいかどうか。ファイブ・フォーシーズでは売り手の交渉力、買い手の交渉力、新規参入の脅威、代替品の脅威で業界内の競争の激しさを見ていきます。

　このフレームワークをつくったのはハーバード大学のマイケル・ポーター教授。ポーターは「その業界の魅力度を明らかにする」と説明しています。一橋ビジネススクールはもう少しリアルに解釈して、「その業界の収益性を

明らかにする」と言っている。僕は『フレームワークを使いこなすための50問』という本の中で、ブレークダウンして、「その業界が儲かるか、儲からないのかを明らかにする」と説明しています。そして、Hさんはさらにブレークダウンして、「その業界にうまみがあるかどうかを明らかにする」と（笑）。

一同 ｜（爆笑）

牧田 ｜なかなかいいね。では、なぜそのように言えるのかを考えていきましょう。自分の会社は真ん中にあります。業界内の競合の厳しさを表します。自分の会社をはさんで左側に売り手、右側に買い手がいる。

　自社にとっての売り手というのは業者ですね。原材料を扱う会社や広告代理店などが該当します。皆さんの会社がシステム開発をしているのなら、システムインテグレーターなども売り手ということになります。

▶売り手・買い手の交渉力が高くなる場合とは

牧田 ｜その売り手の交渉力が高いというのは、どういう場合か。

　まずひとつは売り手の数が少ない場合。世の中にシステムインテグレーターがIBMしかなかったら、システム開発をしたいときにはIBMの言い値で開発をお願いするしかない。原価は高くなります。真ん中にいる自社からすると、売り手の交渉力が高いということは、原価が高くなるということです。

　売り手の交渉力が高くなる場合はもうひとつあります。それは売り手が自社にどっぷり入り込んでいる場合。「ツー」と言えば「カー」という状態になっていて、「1」言えば「10」わかってくれるような状態です。

　たとえば、10年間ずっと同じ広告代理店と付き合っていたとすると、「いつものようにお願いね」と言えば、「はい、わかりました」と思ったとおりに実現してくれる。こうなると、「原価が高くても楽だからこの売り手にしておこう」ということになります。別の広告代理店のほうが価格は安いんだけど、最初は「10」言っても「1」しか理解してくれない。手戻りが発生して、よけいな時間がかかる。コミュニケーションコストが高くつく。それくら

いなら、「コミュニケーションコストのかからないいつもの広告代理店を使ったほうがいい」という判断になるわけですね。売り手側はこれを狙っています。

　次に買い手を見ていきましょう。買い手というのは自社にとっての顧客。消費者であれ、法人であれ、自社の売り先です。

　買い手の交渉力が高くなるのは、ひとつは買い手に選択肢が多い場合。同様の製品・サービスを提供する企業が多ければ、買い手からは値下げの圧力がかかります。企業側は、「もう少し安く売りますから買ってください」という姿勢をとらざるを得なくなる。だから、原価が一定であるならば、利益が少なくなる、儲けにくくなることを意味します。

　もうひとつはスイッチングコストが低い場合。取り扱う製品・サービスが差別化のきかないコモディティであれば、買い手はスイッチングコストを感じません。買い手はより条件のいい企業を選ぼうとします。価格競争が激しくなり、収益性は低下します。

　次は代替品の脅威。代替品が出てくるということは、その業界規模は縮小するということです。ガラケーに代わってスマホが出てきたら、ガラケーの売上はどんどん落ちます。売上が下がれば利益の絶対額は少なくなる。儲けにくくなります。

　代替品の脅威については、今ではなく、未来を予測するということに注意してくださいね。たとえば、今のクレジットカードは将来、QRコード決済にとって代わるかもしれない。5年後、10年後にはプラスチックのカードなんて、誰も使わなくなっているかもしれません。そういう未来を見据えて代替品の脅威を見極めます。

　自社のいる真ん中は、業界内の競合の敵対関係を見ます。敵対関係の強さは、業界2位以下の企業が、1位企業に競争を仕掛けるかどうかで決まります。

　たとえば、携帯電話では業界1位のNTTドコモに対して、業界2位、3位のauとソフトバンクは常にシェアを奪おうと挑んでいます。そうすると、ド

コモは面倒だけど何らかの対応をしなくてはいけない。コストがかかります。売上が一定であれば、利益は出にくくなります。

　繰り返しますが、ここの厳しさの定義は、2位以下の企業が1位企業に仕掛けるかどうかです。たいていの場合、厳しいという判断になります。2位以下の企業がフニャフニャで1位企業の独走を許すというのなら厳しくないということになりますが、現実にはほとんどの業界がそうではないよね。

　最後に新規参入の脅威。新規参入が増えれば、当然、競争する相手が増えます。競争に勝とうとするためのコストがかかって利益が出しにくくなります。新規参入が入るかどうかというのは、参入障壁があるかないかで変わります。初期投資コストが高かったり、許認可が必要だったりすると参入障壁は高くなります。成長期で魅力的な業界だとしても簡単には参入できません。参入障壁が低ければ、競争は厳しくなる。つまり、利益は出しにくくなります。

▶ファイブ・フォーシーズ分析を使うタイミング

牧田｜はい、では確認のために、ちょっと聞きますよ。このファイブ・フォーシーズ分析って、どういうタイミングで使うフレームワークだっけ。

J｜新規参入を考えるとき。

牧田｜そうだね。これからその業界に新規参入しようと思ってるんだけど、その業界で儲けることができるのかを分析しようとする際に使うというのがひとつあるね。儲からないなら、参入しないほうがいいということになる。

K｜継続するかどうかを検討するときです。

牧田｜何を?

K｜既存の事業です。

牧田｜そうそう。ちゃんと主語をつけて答えろよ。今やっている事業がある。なぜか最近儲からない。これからどうしようか。続けるか、やめるか。それを考えるときにもファイブ・フォーシーズ分析をして収益性を判断します。ただ、単純に「利益を出しにくいからやめよう」という話になるかというと、

実務ではそうはいきませんね。 5つの力をどうコントロールしたら収益性を高められるかということを考えていかないといけない。

　さて、 長くなりましたが、 LVMHのケースに戻ろう。 さっき、 LVMHが流通チャネルを買収すると、 流通業界に対する交渉力が上がりコスト削減できるという意見がありました。 製造業の流通業に対する交渉力って、 市場の成長期と成熟期でどう変わるんだろう。 誰か説明できますか。

L｜成長期においては、需要量と供給量を比べると、需要量のほうが多くなります。

牧田｜うん、まずは原理原則から押さえていこう。これまでにも何回も説明してきたとおり、成長期には需要量が供給量よりも多くなる。それで?

L｜製造業からすると、製品を流通に流しさえすれば消費者が買ってくれるので、 流通業に対しての価格交渉力が高くなります。 製品を持っている立場なので。

牧田｜製造業と流通業を見た場合の交渉力は……。

L｜製造業のほうが高くなります。

牧田｜そうだね。製造業のほうが高い。それで?

L｜ところが、 成熟期になると、 需要よりも供給のほうが多くなります。製品を流通に流しても、 消費者が買ってくれないというリスクが出てきます。 そうすると、 製造業の流通業に対する価格交渉力は弱くなります。

牧田｜製造業と流通業の関係はどうなるんでしょ

L｜製造業は流通業に対する力が弱くなります。

牧田｜そうだね。原理原則でいうと、力は弱くなるよね（図表43）。

L｜今回の場合でいうと、 製造業であるLVMHが流通業を買収することで、 中間マージンを抜き、 価格競争力を高めることができます。 また、 成熟期には、 細分化した顧客のニーズを捉えることがKey Success Factorとなります。 LVMHはそのニーズを把握することも狙って流通業を買収したのだと思います。

牧田｜ロジカルな説明ができていますね。いいですよ。皆さん、成長していますね。

成長期は、製造業と流通業の交渉力を見ると、製造業のほうが強いんだよね。日本で代表的な例があります。ダイエーと松下電器。今のパナソニックね。過去に「ダイエー・松下戦争」というものがありました。何かというと、ダイエーが松下の製品を安売りした。松下は「安売りするな。そんなに安売りするならダイエーには松下の製品は卸さない」と言って、本当に卸さなかった。当時はそれぐらい製造業が強かったんですね。

　成熟期に入った今はどうかといったら、消費者が買わなくなってきたから供給量のほうが需要量よりも多い。顧客ニーズも細分化している。そういう中で製造業はなんとか流通の棚に置いてもらおうとする。けれど、流通の棚のスペースは限られていて、なかなか置いてもらえないわけです。流通業のほうが交渉力が高いということになる。

　では、棚になかなか商品を置いてもらえない製造業はどうしたらいいでしょう。いろんな手があると思うけど、どうしたらいいと思う?

M｜値段を下げる。

牧田｜おっと。いきなり禁じ手が出たな（笑）。

一同｜（爆笑）

牧田｜禁じ手からやっちゃう。はい、値下げね。

N｜自社でまかなう。

牧田｜それはどういうこと?

N｜直営店を出すということです。

牧田｜流通業に頼むんじゃなくてね。自分たちで売っちゃおうと。そうすれば顧客ニーズも把握できるしね。

O｜顧客ニーズをしっかり把握して、顧客が欲しいと思う魅力ある商品をつくる。小売も棚に置かないと売上に響いてしまうから、自然と置きたくなるような商品を出す。

牧田｜強い商品を出す。それ、ロジックとしては合ってる。ただ、出せるならば苦労しない（笑）。そのとおりではあるんですよ。

　コカ・コーラの話がよくたとえに出てきます。日本コカ・コーラの流通に対する影響力ってものすごく強い。それはなぜかというと、コカ・コーラという強い商品を持っているからです。1970年代にビール市場でキリンビールが圧倒的だったのは「ラガー」という強い商品を持っていたから。強い商

品を持っていると、流通に対する交渉力が高くなるんだよね。値下げをする、直営店を開く、強い商品を出す。

▶製造業が交渉力を強くするために必要なことは

Q｜流通業者にマージンを支払う。

牧田｜値下げと同じだな。マージンを出せば、小売店に対してはインセンティブになるからね。でもそうやってカネを出していると、キリがないよね。マージンを支払うとか値下げするっていうのは、結局のところ、流通業の交渉力に屈したっていうことです。だから何とか違うことをしていきたい。

　何とか違うことをしていくときに、非常に優秀な企業があります。花王、サントリー、P&Gなどです。今の時代、成熟期だから基本的には流通業の方が交渉力は強いですよね。ところが、これらの企業は製造業でありながら、依然として交渉力が強いんですよ。

　消費財の営業改革支援を依頼されたことがあって、営業の人たちに同行して流通業を回った経験があります。そういうとき、小売の店長やバイヤーたちにはたいていの場合、「何しに来たの?」っていう冷たい態度を取られます。製造業の営業は軽くあしらわれるわけ。ところが、花王やP&Gの営業が行くと、接し方が全然違う。出がらしのお茶ではなくアールグレイの紅茶が出てきて、「ちょっとお話ししましょう」と言われたりする。花王やP&Gは流通業に対する交渉力が高いんです。なぜだと思いますか。

R｜花王、サントリーなどは消費者の購買行動をものすごく調査をしていて本当のニーズを理解しているからではないかと思います。

牧田｜ということは、流通側は消費者のニーズをわかっていないってこと?

R｜メーカーは工場を持っているので、どこを減らせばどれくらいのコストを下げられるかというところまでわかります。そういう情報も含めて提供できるので、流通に対する交渉力が高いのではないかと思います。

牧田｜視点は悪くないね。

S｜花王、サントリー、P&Gっていうと、やっぱり商品の開発力が強

いという印象です。売れる商品をたくさん持っていて、流す量をコントロールできる立場にあるので、交渉力が強くなるのではないかと。

T｜流通側が欲しい情報を提供できることだと思います。

牧田｜それは何だろう。流通が欲しい情報って何?

T｜どの製品が売れているかとか、競合店がどんな売り方をしているかとか……。

牧田｜競合店っていうのはどういうところ?

T｜たとえば、ドラッグチェーンならマツモトキヨシはどうしているかとか。

牧田｜いろいろな店に卸している立場だから情報はたくさん持っていますよね。そういう情報を提供できるから、交渉力が高くなるのではないかと。うん、結構いい視点が出てきた。その情報をもとに、小売店の店長と製造業の営業マンが何か一緒にできることがあるかもしれない。何ができるんだろう。

U｜売り方を一緒に考えているのだと思います。

牧田｜売り方って具体的には何?

U｜日用品も飲料も成熟市場です。メーカーはターゲット顧客を絞って、そのターゲット顧客向けに製品を開発しています。ターゲット顧客を決めた後、ポジショニングの軸が決まってくるので、プロモーションをするときに、どういう軸を打ち出すのがいいかという提案を小売店にできると思います。

牧田｜メーカーのマーケティング戦略を説明できると。うん、筋は悪くないね。

V｜小売店の販売に協力をすることができます。

牧田｜どんな協力?

V｜自社製品のプロモーションに対して、お店側に提案ができます。

▶花王やサントリーの営業はなぜ強いのか

W｜小売店の店長が喜ぶことをしてあげるのがいいと思うので……。

牧田｜店長が喜ぶこと。何だろう、それは。

W｜店長がいちばん嬉しいのは売上が上がることです。

牧田｜そう、そうだよね。

W｜売上を上げるには、客数を増やすか単価を上げるかのどちらかになりますが、単価を上げることはメーカー個社での対応は難しいので、客数を増やすことが必要になると思います。客数を増やすためにできることというと、花王やサントリーは特定のカテゴリーに強い商品を持っているので、「この層に来てほしい」という商品を棚に置いてもらって、その周辺に、ターゲット層が買いそうな商品を並べることで売上を上げるということができるんじゃないかと思います。

牧田｜なるほど。売上を上げるために、棚をどうしたらいいのかを考えていったっていうことね。

X｜プライベートブランドとか限定商品とか、そのお店でしか売ってないものを提供する。

牧田｜他のチャネルはどうするの？

X｜また別なプライベートブランドなどを開発します。

牧田｜流通業の数だけ別のものを開発していたら、めちゃくちゃコストがかかるよ。

Y｜小売店が喜ぶこととして、メーカーが商品の広告を流して販売をサポートするという方法があると思います。

牧田｜うん、新商品を出すときにはメーカーは広告を流しているよね。はい、いろいろな考えが出てきたね。かなりいい考えが出てきていますよ。

　売上を上げるために花王やサントリー、Ｐ＆Ｇの営業がやっていることが何かというと、カテゴリーマネジメントです。言い換えると棚割だね。彼らはこのカテゴリーマネジメント能力がすごく高い。

　たとえば、シャンプーの棚があったら、「棚全体の売上を最大化するためには、こんなやり方がありますよ」という提案、コンサルティングができるんです。店長が自分で考えるよりも、メーカーの営業に任せたほうがその棚の売上が上がるということになったら強いよね。店長の仕事って、棚割りの計画を立てて、実際に売って、売れたかどうかをチェックして、次の策を考えるっていうことだから。自分がやるよりも売上を伸ばしてくれるなら、メーカーに任せようって思うはずですよね（図表39）。

	PLAN	DO	CHECK	ACTION
メーカー P&G 花王	・顧客の購買行動分析 ・購買行動分析に基づくカテゴリーマネジメント ・棚割りプランの策定	・棚割り支援 ・POP設置支援	・POS DATA分析 ・商圏分析 ・来店客聞き取り調査	・顧客の購買行動分析 ・購買行動分析に基づくカテゴリーマネジメント ・棚割りプランの策定
小売店舗		・陳列 ・POP設置 ・販売	・POS DATA分析	

もちろん、こういう棚割りをするためには顧客動向を詳細に調査しなくてはなりません。周辺の店舗の状況を調査しなくてはならないし、商圏を調査しなければなりません。全国津々浦々、どういう棚割りをしたか、それがどういう結果になったかというデータを持っておく必要があります。

そのデータをもとに、「あなたの商圏は、どこそこの商圏と似ています、その商圏ではこの棚割りで成功しました。先週と比べて、売上が1.25倍に上がっています。だからこの棚割りでやってみませんか」と言われたら、それはもう、やってみたくなるよね。

「実際にやってみて、1.25倍はいかなかったけど、1.15倍いった」となれば、花王やP&Gやサントリーに任せたほうがいいとなる。店長からすれば、どこのメーカーの商品が売れても構わない。棚の売上が上がりさえすればいいんだから。

メーカーも任せてもらえれば超ラッキー。一番目立つところに自社製品を置ける。その周りは適切に他社商品を置いとく。

一同 | （笑）

▶交渉にかかるコストを減らす

牧田｜売上が上がっているかぎり、店長からずっと棚割りを任せてもらえる。こうなると、メーカーも嬉しい。小売店も嬉しい。製造業は流通業から交渉力を奪い返したということになるわけです。

　このように、成熟した市場では製造業はいろいろな工夫をしています。それでうまくいっているメーカーもある。ただ原理原則としては、流通業の方が交渉力が高いと、製造業にはコストがかかる。でも、流通業を買収することによって、そのコストを減らすことができる。交渉にかかるコストをなくせます。加えて、ダイレクトに顧客接点を持つから顧客ニーズも把握しやすくなります。

　「市場の成長段階を考えながら検討せよ」というアサイメントの趣旨に関していえば、「市場が成熟期に入って、製造業と流通業のパワーバランスが変わった。そのパワーバランスを、製造業であるLVMHは何とか変えたかった。したがって、流通を買収することによって、第一にコストを下げ、第二に顧客理解を深めた」というのが答えになります。これをきちんと市場の成長段階を見ながら説明できるかどうかがこのアサイメントの狙いだったんだね。

　花王やP&Gはメーカーのほうが交渉力が強いと言いましたけど、ライオンも頑張って、花王やP&Gにならって小売店に対する交渉力を強くしようとしています。現在の交渉力は流通と同じぐらい。多くの日用雑貨、電機製品では完全に流通業が強く、製造業が弱い。ドラッグストアもそうです。段ボールから一生懸命、商品を取り出して棚に並べている店員さんがいますけど、その人たちの半分ぐらいはメーカーの営業ですよ。少し前にビールのコマーシャルで、メーカーの営業マンが頑張って労務提供をしている場面を描いたものがありましたね。露骨に労務提供をアピールしていた（笑）。

一同｜（爆笑）

牧田｜いや、潔いなっていう感じだったけどね（笑）。日本の消費財メーカーはこうした努力を本当によくしています（図表45）。

アジアの高い売上比率

付表3（B）LVMH社部門別売上及従業員構成（1997年）

	売上高比率	従業員比率 （%）
フランス	13	43
ヨーロッパ（フランス以外）	17	13
北 米	22	17
日 本	14	6
アジア（日本以外）その他	26	21
計（実数）	100（480億フラン）	100（32,300人）

成熟期におけるメーカーと流通の関係

メーカーと小売の交渉力の類型

花王、P&G	メーカー ＞ 小 売
ライオン	メーカー ＝ 小 売
多くの日雑、電機（消費者向）	メーカー ＜ 小 売

バリューチェーン上、
LVMHで重要な企業活動は何か

牧田｜では、次のアサイメントに移ろう。「バリューチェーン上、LVMH
の重要な企業活動は何か」。このテーマを考察するには、まずはバリュー
チェーンを確認しなくてはなりません。そのうえで、重要な企業活動という
ものをどう定義したらいいのかを考えていきましょう。

▶そもそもバリューチェーンとは何か

牧田｜そもそも、バリューチェーンって何だろう。みんなよく使う言葉だけど、
どんなふうに説明する？

A｜自社が利益を出すための事業構造の流れ。

牧田｜事業構造の流れって何でしょうね。別の言葉で説明できる人？

B｜事業の機能別に付加価値をつけていって、最終的に製品やサービ
スをアウトプットして利益を出すまでの一連の流れ。

牧田｜OK。なんとなく硬いけど、言っていることは合ってる。バリュー
チェーンという言葉を生み出したのはマイケル・ポーターだけど、そういうふ
うに言っていますね。

　要は、企業活動を構成要素に分解したもの。たとえば製造業であれ
ば、研究開発から始まって、調達、生産、物流、マーケティング、販
売という一連の流れがある。それがバリューチェーンです。現状分析のフ
レームワークにもバリューチェーン分析というのがありますが、じゃあ、分割
した企業活動の構成要素を使って、いったい、何をしようというのかな。

C｜競合のバリューチェーンと比較して、自社のどこに強み、弱みがあ
るかを明らかにします。

牧田｜そうだね。自社と競合のバリューチェーンを比較したときに、どの機
能にどういう差があるのかを明らかにするときに使う。

たとえば、コカ・コーラとペプシコーラを比較してみます。当然、市場では圧倒的にコカ・コーラが優勢にあるわけだけど、どこに違いがあるのか。漠然と全体を見てもわからないので、構成要素に分けて見ていきます。

　研究開発はどうか。コーラの原液はどちらもたいして変わりません。ブラインドテストをすると、ペプシコーラのほうを好む人も多い。生産能力や生産技術にも差はない。ではどこに差があって、最終的なシェアの違いになっているのか。こういうことを考えるときにバリューチェーン分析を使います。競合と比較して強いところ、弱いところを明らかにして、解決策を練ることに活かすわけです。弱いところを強くするのか、強いところをさらに伸ばすのか、どういう戦略を立てるのかを考えます。同様に、競合を分析して、強いところ、弱いところを明らかにするためにも使います。

　もうひとつは、バリューチェーンの中で、重要なプロセスはどこなのかを明らかにするためにも使います。さっきのコカ・コーラとペプシコーラの例でいうと、飲料の場合は、たいていマーケティングで決まってくる。マーケティングが重要なプロセスということになります。

▶LVMHのバリューチェーンを川上から川下まで挙げる

牧田 │ さあ、ではLVMHで考えていきますよ。まず、LVMHのバリューチェーンを川上から川下まで挙げてみることから始めましょう。どうですか。前の黒板に書いて説明できる人。はい、ではDさんとEさん、お願いします。

（2人の受講生が板書する）

牧田 │ では2人が書いたものを見ていきますよ（図表41）。皆さんも注目してください。ではDさんから説明してください。

D │ まずデザインがあり、次に製品開発をします。製造、プロモーション、セールスというバリューチェーンです。

牧田 │ なるほど。ではEさん。

E｜私は川上がデザインの研究・開発で、製造、物流、マーケティング、販売、アフターケアという流れを考えました。

牧田｜2人とも似ていますね。商品企画、製造・生産、物流、マーケティング、セールス、アフターサービスと、だいたいこんなバリューチェーンになるはずですよね。

　では、こういうバリューチェーンがあるときに、どこが重要なプロセスなのかを議論していきましょう。重要な活動を探る方法は2つあります。ひとつは、競合企業と比較して、重要な活動が何かと定義する方法。もうひとつは、企業理念からひもといて、重要な活動を定義する方法です。みなさんはどう考えたでしょうか。競合と比較して考えた人、手を挙げて。1、2、3……7。7人か。このクラスは70人強だから、大半の人が経営哲学から考えたということですね。では、まず競合と比較した人に聞いてみます。Fさん。どこと比較して考えましたか。

F｜シャネルです。

牧田｜シャネルと比較して、LVMHはどの活動が重要だとわかった？

F｜シャネルは製造にこだわりが強く、製品力が高いのが特徴です。LVMHはDFSとセフォラを買収して、流通網を持つようになりましたが、シャネルは持っていません。そこから考えて、LVMHは独自の強みである販売の活動がもっとも重要だと考えました。

牧田｜流通を持っていないのはシャネルだけではないけどね。他にどうでしょう。競合企業と比較した人?

G｜比較したのはLVMHに属さない独立したブランドです。

牧田｜それはどこのことですか。

G｜えーと……。

牧田｜競合がはっきりしていないんだったら、どうやって比較するんだっていう話になるよ。じゃあ次は経営理念から考えた人。そもそも、LVMHの経営哲学はどういうものでしたか。教えてください。

▶重要なバリューチェーンを経営理念にひもづける

H｜LVMHが追求しているものとして、「創造性と革新」、「製品の卓越性の追求」などがあって……。

牧田｜何かいろいろ書いてあったよね。「創造性と革新」、「製品の卓越性の追求」、他にもあったね。

H｜「ブランドの確立」、「起業家精神」、「最高を目指す」。

牧田｜そう。LVMHの社員はその5つの基本価値を共有するって言っている。その前に何か長い文章が書いてあったよね。

I｜「LVMHグループの使命は、西洋の "Art de Vivre"(人生を豊かに楽しく)をもっとも洗練されたかたちで表現する使節として行動し、その製品と企業文化を通して伝統と現代性を調和することによって、毎日の生活に夢を与えるよう努める」とあります。

牧田｜そう。これがLVMHの提供する価値だ、使命だって言っている。それを実現するために、さっき出てきた「創造性と革新」とか、「製品の卓越性の追求」とか、「ブランドの確立」を目指すわけね。

　では、そういう経営理念にひもづけて考えると、バリューチェーンのどのプ

ロセスが重要ですか。それはなぜですか。ひとつじゃないかもしれない。重要なプロセス、複数あるかもしれませんよ。

　では聞いていきましょう。さあ、経営理念にひもづけて、バリューチェーンの中で、どの活動が重要でしょうか。僕が見るのはひもづける力ですよ。どう説明しますか。

J｜「創造性と革新」という理念に関係するものとして、やはりいかにいいものをデザインしてつくるかということがカギとなるので、デザインの研究開発というバリューが重要ではないかと思います。

牧田｜デザインの研究開発ね。創造性が求められるからっていうことね。

K｜経営理念の中に「伝統と現代性を調和する」という記載がありました。現代性という顧客のニーズ、流行を把握するために、マーケティングが大事なのではないかと思います。

牧田｜マーケティングといってもプロモーションというより、顧客ニーズの把握ね。現代性をつかむために重要だと。

L｜「製品と企業文化を通して伝統と現代性を調和することによって、毎日の生活に夢を与えるよう努める」と言っているので、デザインと製造のところが大事なのではないかと思います。

牧田｜なぜ製造が大事なの?

L｜品質の高いよい製品を届けることが顧客の生活を豊かにすると思うのですが、それには製造がかかわってくるのではないかと。

牧田｜きちんとした品質であることを担保しなければならないということね。どんどん意見を聞いていったら、ほとんどのバリューチェーンが埋まりそうだけど（笑）。

M｜ブランドの確立にはプロモーションが不可欠だと思います。

N｜私もブランドの確立が重要だという意見なんですけど、デザイン面で、一目で違いがわかるもの、ブランドの魅力がわかるものにしなくてはならないと思います。なので、デザインが一番重要だと思います。

牧田｜結局のところ、ブランドって、何から生まれてくるのかっていう議論をしているわけだよね。今のNさんの説明だと、デザインから生まれていると。さあ、ブランドは販売やマーケティングなど川下から生まれるのか、デザインや製造など川上から生まれるのか?

O｜こういうブランドビジネスというのは、マスを狙っているのではなくて、限られたお客さんを狙うものです。しかもLVMHは「西洋の"Art de Vivre"（人生を豊かに楽しく）をもっとも洗練されたかたちで表現する使節として行動」とうたっています。自分たちのイメージを伝えようとしているわけで、やはり川上が重要だと思います。

牧田｜「オレたちは夢を提供しているんだ」という気概を持っているよね。そうなると、バリューチェーンの川上の方が重要な感じがしてきましたね。いいですよ。この問題は、後で取り上げるテーマの中で、もう一度考えてみましょう（図表42）。

図表42｜LVMHの経営哲学とVC

西洋の"Art de Vivre"をもっとも洗練された
かたちで表現する使節として行動し、
その製品と企業文化を通して
伝統と現代性を調和することによって、
毎日の生活に夢を与えるよう努める

創造性と革新	商品企画
製品の卓越性の追求	製造生産
ブランドの確立	物流
起業家精神	マーケティング
最高を目指す	販売
	アフターサービス

なぜベアトリス・ボンジボー女史は
ジャンフランコ・フェレを起用したのか

牧田 ｜ 次の問題はLVMH傘下のクリスチャンディオールでの出来事を取り上げています。「なぜベアトリス・ボンジボー女史はジャンフランコ・フェレを起用したのか」。

　ボンジボー女史というのはアルノーが引き抜いた副社長。元シャネルの人です。非常に優秀な人物ですね。その人がクリスチャンディオールのデザイナーにジャンフランコ・フェレを採用した。

　ジャンフランコ・フェレは1944年、イタリア生まれ。69年にミラノ工科大学の建築学科を卒業した建築家でもあります。ミラノのファッションシーンでは実力・人気ともに第一人者で、ジョルジョ・アルマーニ、ジャンニ・ヴェルサーチとともに「ミラノの3G」と呼ばれていました。非常に優秀で確固たる地位を築き上げているデザイナーです。ファンは世界中に広がっていました。けれど、イタリア人なんですよ。クリスチャンディオールといえば、パリでももっともフランス的な香りの強い伝統のあるメゾンです。自国で制作活動をしていないイタリア人デザイナーを起用したということでさまざまな反応がありました。パリのファッション界は騒然となったわけ。

　日本の料理店でたとえてみると、東京のすきやばし次郎とか、大阪の吉兆とかが、外国出身の板前さんを起用したみたいなものだよね。しかも看板板前の花板で。「ディオールはフランスの華なのに、それをイタリア人の手にゆだねるとは」と非難の声が集中しました。モナコの王女なんかは、「もう着ない」と宣言した。批判は強かったんですよね。

　さて、その後どうなったのか。1989年7月にパリで開かれたフェレによる初のコレクションは非常に人気が高く、各方面から絶賛されました。「デ・ドール賞（金の指貫き賞）」を受賞しました。外国人デザイナーの起用に対して反発したり疑問視したりする人が多かったけれど、名誉ある賞を受賞したということで、一気にマーケットの見方は変わった。「フェレ、すごいね」っていうことになっていったんです。パリのモードで成功を収めることに

なったわけ。

　ここまで見たうえで、なぜボンジボー女史はジャンフランコ・フェレを起用したのかということを考えていきたい。クリスチャンディオールの歴史を振り返ると、創始者で初代デザイナーがクリスチャン・ディオール。これはもちろん成功しました。2代目デザイナーがイヴ・サンローラン。超、超、大成功。クリスチャン・ディオールがデザイナーを務めていた時代よりもはるかに売れました。その次がちょっとダメだった。マルク・ボアンっていうデザイナーで、あまり成功しませんでした。そこにジャンフランコ・フェレを連れてきて成功したということになります。では、なぜフェレを起用したのか（図表43）。

図表43│**ディオールのデザイナー**

クリスチャン・
ディオール

Photo by Hulton Archive/Getty Images

イヴ・
サンローラン

Photo by John Downing/Hulton Archive/Getty Images

マルク・
ボアン

© Patrick Ullman/Roger-Viollet /amanaimages

ジャンフランコ・
フェレ

Photo by Tim Graham/Hulton Archive/Getty Images

A｜LVMHの経営理念には「起業家精神」と「最高を目指す」という一言があります。それまではマルク・ボアンが30年間、クリスチャンディオールのデザイナーを務めたけれど、あまりうまくいっていなくて、ちょっとマンネリ化していた。「ミラノ3G」といわれるジャンフランコ・フェレを起用することは、「起業家精神」並びに「最高を目指す」という経営理念に合致していたのだと思います。

牧田｜フェレを起用したのは理念に合うからだったと。あくまでも、「起業家精神」とか、「最高を目指す」という理念を追求していったということですね。

B｜私も経営理念で考えたんですけれど、LVMHは「ブランドの確立」という理念をうたっています。ブランドを確立するための価値の源は人材です。LVMHは人材、デザイナーの採用と確保と動機づけをグループの盛衰を左右する最重要要因として重視していました。今後、世界中でいろいろなデザイナーを登用するときに、フランス人以外は偉くなれないということだと、この会社に入っていいものをつくりだそうとする人のモチベーションがあまり上がらなくなってしまうと考えられます。フランス人以外からも幅広く才能を募集しているということを対外的にも対内的にもアピールする意味合いでフェレを採用したのだと思います。実力重視で人種は関係ないと。

牧田｜どこの国の人間かが重要なのではなく、才能が重要だということのアピールだったということですね。

C｜経営理念の中の「製品の卓越性の追求」と「ブランドの確立」を重視した決断だったと考えました。特に、当時の経営状況として、1983年に大幅な赤字を計上したことで、ブランドイメージはやや悪化していると考えられます。それを経営理念に即して変えていくために、フェレの存在でクオリティ志向であることを表現したのではないかと思います。

▶ブランドの源泉は何か

牧田｜ということは、クリスチャンディオールにおいて、ブランドの源泉は、いったい何なのかな。経営理念ではブランドの確立のために人材を強化す

るということが書いてある。ブランドは人によってつくられるんですか?

D│バリューチェーンでいうと、やはりデザインとか研究開発によってつくられるのだと思います。つまり、それを生み出すデザイナーによってつくられるのだと思います。

牧田│ブランドっていうのは何でできるのかといえば、デザイナーによってつくられると。

E│LVMHの経営理念に立ち返って考えると、「伝統と現代性の調和」をうたっています。現代性は新商品開発が反映する、つまりデザイナーから生まれるもので、一方の伝統はというと、ブランドが長年、築いてきたものですから、製造を手掛ける職人から生まれるものなのではないかと。

牧田│面白いこと言うね。

E│ブランドというのは、それら2つが調和して信頼性を担保されているものだと思います。なので、デザイナーに関しては思い切った人事ができた。ボンジボー女史はイタリア人デザイナーのフェレを呼ぶことができたのではないかと考えました。F│ちょっと違う視点から意見を言ってもいいですか。

牧田│いいですよ。

F│先ほどから、皆さん、経営理念に基づいて話をしていますけど、フェレがディオールのデザイナーになったのは、LVMHの経営理念ができあがる前です。この当時、経営者が考えていたブランドとはデザイナーであり、だからこそボンジボー女史はイタリア人であっても有能なデザイナーを引っ張ってきたのだと思います。その後の過程において、アルノーの頭の中で「ブランドとはこういうものだ」というイメージができあがって、理念をつくっていったのではないでしょうか。

牧田│うん、ケースをよく読み込んでいますね。いい意見ですよ。ナイスだね。あと1人、意見を聞こうかな。

G│ケースには、LVMHは国際企業として人材の育成と管理に力を入れていたとあります。グループの成功は、グローバルなビジョンを持ち、国際志向の経営スキルを身につけていったことが大きいという気がします。フランス人のデザイナーにこだわらず国際的な人材を採用

すること、それをグローバルに展開できることというのが重要だという観点で、あえて選んだのではないかと思います。

牧田｜国際ブランドにしていくために、さまざまな国のデザイナーを使おうとしたと。国際化に積極的である姿勢を見せるために、イタリア人を使ったということはあり得ますね。

▶ブランド品はマーケットインか、プロダクトアウトか

牧田｜これまでにIBMやマクドナルドのケースを見てきましたが、これらに共通していたことがあります。それは何かというと、「顧客ニーズを把握しなければならない」「マーケットインしなくてはならない」ということ。では、クリスチャンディオールの価値はマーケットインなのか、プロダクトアウトなのか、どっちだろう。どういうロジックで説明するのがいいのかな。

H｜私はプロダクトアウトだと考えます。

牧田｜それはなぜ?

H｜デザイナーにフェレを起用したということは、フェレには需要があることを前提としているということになります。顧客のニーズというより、フェレがつくりたいものは顧客が買ってくれるだろうという期待がある。

牧田｜なぜ顧客は買ってくれるの?

H｜フェレのデザインには人気があるからです。

牧田｜人気は確かにある。どうして人気があるんだろうね、フェレ。

H｜現代のニーズに合っているから。

牧田｜現代のニーズに合っていた? 本当? さあ、なぜだろう。

I｜ちょっと疑問も抱きながらなんですけど。私もプロダクトアウトだと思います。ただ、マーケットインかプロダクトアウトかと狙ってやっていることではなく、偶然の産物なのではないかという気がします。アルノーさんはやたらとブランドを買収していますけど、意図的にブランドを確立できるなら、買収せずにつくったほうがいいと思うんです。ブランドの維持に関してはデザイナーの貢献が大きいと思いますが、確立に関しては狙えるものではなく、たまたまヒットしたのかなという気がしています。

牧田｜Iさんが言うとおり、ブランド確立は偶然よね。クリスチャンディオール
が人々に受けたのは偶然。資本家がいて、「クリスチャン・ディオールってな
かなかいいな」と思って金を出してあげたんだよね。相撲でいうタニマチみ
たいなものです。で、それがたまたま当たった。それでブランドを確立した。
そこでイヴ・サンローランを呼んできて、さらに大成功した。でもボアンではう
まくいかなかった。その後、フェレでまたうまくいったっていうことなんだよね。

　ブランドを確立した後で考えてみると、どうだろう。プロダクトアウトなの
か、マーケットインなのか。マーケットインの典型例って、さっき話が出た花
王、サントリー、P&Gみたいな消費財です。そういうマーケットインの企業
の提供価値って何ですか。

J｜製品に価値があります。

牧田｜製品を提供している。そりゃそうだ（笑）。間違いじゃないけど
（笑）。さあ、提供価値は何だろう。

K｜顕在化したニーズに対応した製品を出していること。

牧田｜そう、ニーズに対応している。ベタな言い方をすると、顧客の悩み
を解決している。これらの企業は顧客の悩みを解決しようとしているので、
「顧客は何に悩んでいるのかな」「何に困っているのかな」と、一生懸命
観察するわけ。では、ハイブランドが提供している価値って何ですか。

L｜高級で、他の人が持っていない。この場合で言うと、ディオールっ
ぽい。

牧田｜ディオールっぽいってなんだろう。ディオールの価値とはいったい何
かということを聞いています。どうですか。

M｜今まで自分が気づいていなかった新しい価値観だと思います。
ディオールであれば、女性らしいシルエットを見せること。これが、
シャネルであれば窮屈なコルセットではなく、動きやすい洋服というこ
とになるのだと思いますが。それまでとは違う新しいもの。

牧田｜スタートラインはそうなんだよね。スタートラインはそうで、ハイブランド
として確立した後は、何を提供しているかっていうと、顧客に対して「あこが
れ」を提供している。あこがれを提供するときには、顧客ニーズを把握して
もダメなんですよ。デザイナーが自分の世界観を提供することが大事なわ
け。ターゲット顧客は、デザイナーのその世界観に賛同する人たちになる。

だからすごく限られます。世界観に賛同する人たちを集めてきて、プロダクトアウトで自分の感性を彼らに対して提供するという形になります。その世界観がイマイチだと、マルク・ボアンみたいになっちゃうし、その世界観に賛同する人が多いと、サンローランやフェレみたいになるわけです。マーケットインの会社とは、提供する価値が違う。だからアプローチも全く違うんです。

　花王やサントリー、P&Gの話をしましたが、こういう消費財メーカーは顧客ニーズを把握しなければならないので、営業やマーケティングがとても重要です。ハイブランドは、もちろんマーケティングも大事ではあるけど、一番重要なのは、その世界観を示すデザインだということになります。

　前に取り上げたテーマで、バリューチェーンの中でもっとも重要な企業活動について議論しましたが、皆さんの感覚どおり、ハイブランドに関しては、やはりデザインにかかわるところがもっとも重要だということです。ここが確立していないと、マルク・ボアンみたいなことになってしまう。だから、そこをしっかり見極めて、ボンジボー女史は何を言われようと、素晴らしい世界観を提供することができるイタリア人であるフェレを連れてくる決断をしたわけです。それによってクリスチャンディオールの業績を回復しようと考えたんですね。

実況中継編——経営戦略とマーケティング

第4講 | ユニ・チャーム ペットケアの営業改革

参考資料

書籍

『ユニ・チャーム SAPS経営の原点
——創業者高原慶一朗の経営哲学』

ダイヤモンド社　2009

https://www.amazon.co.jp/dp/4478011753/

　ユニ・チャームの業績が好調だ。売上高は9期連続、営業利益は4期連続で過去最高を更新している。生理用品、紙おむつ国内市場ではトップクラスであり、主力事業のひとつであるペットケア事業も成長している。しかし、この業績を達成するまでには、さまざまな苦悩とそれを乗り越える努力、工夫が存在した。

ユニ・チャーム ペットケアの苦悩と工夫

　ユニ・チャーム ペットケアは、ドッグフードやキャットフード、ペットケア用品を扱うメーカーである。ペットケア事業には1968年に参入し、バブル崩壊後も順調に成長したが、その後失速。2000年度の業績は大きく落ち込んだ。

　会社存続についても検討される中で、2001年にユニ・チャーム ペットケアの社長に就任したのが、親会社で常務取締役を務めていた二神軍平氏であった。就任後早々にユニ・チャーム ペットケアの支店長会議にオブザーバーとして参加した二神社長は、驚きの光景を目にすることになる。支店長たちが月次報告よりも、倉庫会社や配送会社の話で盛り上がっていたのである。その背景には「押し込み営業」の常態化という深刻な問題があった。

　押し込み営業にはさまざまな弊害がある。実際に店頭で売れていなくても出荷されるため、販売動向の実態がつかめなくなる。戻ってきた製品が在庫の山となっている様子を営業担当者が直接見ることはないので、問題として認識されにくい。販売にかかった全費用のうち、販促費や物流コストがどの程度占めているのかも把握できなくなる。一方、問屋や店側は在庫品をさばこうとするので、店頭での値崩れの原因となる。

　さらに、売上げは出荷時点で計上されるのに対し、販促費は支払い時

点で計上されるので、タイムラグが生じる。月末さえやりくりできれば、遅れて計上される販促費への意識はつい甘くなる。

この混乱した状況を立て直すにはどうすればよいのだろうか。二神社長が最初に行った大胆な決断は、販売数値目標の撤廃だった。数値目標は必要だが、いくら数字を詰めても目標の達成にはつながらず、むしろ月末の押し込みという弊害のほうが大きい。そう判断した二神社長は、営業担当者を全員集めてこう宣言した。

「来期以降は売上の数字を詰めることはしません。当面は売上が落ち込んでも仕方ありません。今後は必要とされていない商品を、問屋の倉庫に積み上げるようなことは絶対にしてはいけません」

数字を詰める代わりに行ったのが、「行動を詰める」ことだった。営業担当者ごとに売上数字ではなく、商談の訪問先と訪問回数で週ごとに管理する仕組みに変えたのである。

二神社長が考える強い組織とは、全員が一斉に同じ方向へスピーディーに進むことができる組織である。そういう方向に導き、全員が正しい行動をとれるようになるには、営業担当者たちの自己革新が必要だった。

自己革新のステップは通常、「意識革新→行動革新→能力革新→習慣革新」という順番で進むと考えられている。このステップの中で何より難しいのは、最初の意識革新である。長年、染みついた考え方はなかなか変えられないものだ。そこで、二神社長は意識革新の前に行動革新のステップを置き、行動を変えることからスタートすることにした。意識革新は行動革新から生まれる。適切な行動ができるようになれば、数字はきっとついてくる、と考えたのである。

▶ユニ・チャームの沿革

ユニ・チャームは、1961年高原慶一朗（現・取締役ファウンダー）が建材の製造、販売を手掛ける大成化工（株）として故郷の愛媛県川之江市（現・四国中央市）に創業した。業界の市場規模は20億円程度で零細企業ばかりだった。手塩にかけた製品でも商談では買い叩かれる。納品先が

最終需要家でないので、製品の声が聞こえてこない。価格決定権を持ち顧客の見える製品を探していた。

新聞広告で生理用品メーカー、アンネの広告が出たのを見て、高原は生理用品に将来性を感じ調査を始めた。日本生産本部が主催する米国の新製品開発の視察団に参加。スーパーで生理用品が他の日用品と分け隔てなく普通に売られているのを見て衝撃を受けた。当時の日本では生理用品は薬局の奥にひっそりと隠れたように置かれ、購入する側も抵抗を感じながら買っている雰囲気があった。

高原は日本も米国のように豊かになれば、生理用品の売り方・買い方も米国流になると考えた。社内の猛烈な反発を説得し、1963年、生理用ナプキンの製造・販売を開始した。ちょうどその頃、父親が経営する襖紙の工場が火災に遭い全焼した。父親に生理用品の将来性を語り、生理用品向けの原紙の工場に模様替えした。不安定だった原紙の仕入れが確保でき、商品化まで一貫体制が敷けた。

生理用パッケージに男性的イメージの「大成化工」の文字があるのは厳しいと、販売会社をつくり、「チャーミング（かわいい、魅力的な）」ということばから1965年に販社「チャーム」を立ち上げた。1974年、現在の社名「ユニ・チャーム」になった。

▶生理用品事業

1963年9月、試供品を数箱のダンボールに詰め込み、連絡船に乗り、岡山へ向かう。中国地方は先行するアンネの製品が浸透しておらず、攻めるならここだと考えた。アンネは医療器の問屋を通し、薬局・薬店の販路を確保しており、新規参入が難しかった。ならば、新しい販路を作ろうと、勃興期のスーパーを軸に据えた。米国のような大量生産・大量消費の時代が来つつあった。スーパーは新しい商材として積極的に扱ってくれた。

市場実勢価格より5割高い商品を作ろうと考えた。生理用品も安売り合戦に巻き込まれ収益を圧迫し始めた時期だったが、追随を許さないくらい

の技術力を持つ商品ができれば可能だと考えた。目指したのは吸収力の高さと肌触りの良さ。試行錯誤の末、1968年に「チャームナップさわやか」を発売した。本当に5割高くした。しかし、全く売れず、倉庫は在庫であふれた。それでも生産をやめず、逆に高原は増産の指示を出した。現場の営業員に青いインクと試供品を持たせ、問屋やスーパーの店頭で吸水性の実験を繰り返した。1年半ほどするとようやく認知され売れ出した。在庫はあっという間になくなった。1971年、アンネを追い越してナンバーワンになった。1976年薄型ナプキン「チャームナップミニ」を発売する。

▶紙おむつ事業

「チャームナップミニ」が大成功していた頃から、ユニ・チャームはナプキン以外の分野への進出の必要性を感じていた。「アンネが開拓し、ユニ・チャームが拡充した」ナプキン業界に日用品産業の大手・花王が進出してくることが確実視されていたからだ。着目したのが紙おむつであった。

1979年、P&G（プロクター・アンド・ギャンブル）が「パンパース」を全国発売し、日本市場に進出。あっという間に100億円を超える市場をつくりだし、一気に9割のシェアを握った。81年にユニ・チャームが「ムーニー」、83年に花王が「メリーズ」をひっさげて相次いで参入する。80年代後半の急成長期には資生堂、ネピアといった大手メーカーをはじめとする新規参入ラッシュ、激しい価格競争とシェア争奪合戦が繰り返された。

「ムーニー」は日本初のオープンパンツ型の、柔軟なフィット感と格段の吸収力、漏れ防止能力を持った紙おむつ。P&Gより4割高くしたが、よく売れた。1983年9月、ユニ・チャームの売上高は400億円を突破する。同年、P&Gのシェアを抜き、ナンバーワンになる。

80年代後半を通じて、紙おむつ市場は新規参入ラッシュ、市場拡大、安売り合戦の戦国時代が続く。1983年、ユニ・チャームは低価格の新し

いブランド「マミーポコ」を発売した。その結果、「ムーニー」までが特売競争に巻き込まれた。そしてユニ・チャームは1987年、創業以来2度目の減収減益に陥る。1986年半ばに「プロジェクト86」と名付けた商品開発部隊を立ち上げ、1987年にギャザーを使って通気性をよくして吸収力も従来品より3割向上したのに分厚くならない「ウルトラムーニー」を発売。爆発的な売れ行きで1988年度には増収増益に戻った。

▶ペットケア事業

ユニ・チャームは1986年、ペットケア事業に参入する。ペット用品の購買動向を調べたところ、購買層の7割は主婦で、紙おむつなどと消費者層がダブっており、チャンネルも既存ルートが活用できることから参入した。国内のペットケア市場はその後大きく成長し、バブル経済崩壊後も着実に拡大していった。しかし、新規参入企業も多く、激しいシェア争いが繰り広げられた。

1989年に、試行錯誤の末、商品アイテムと販売エリアの思い切った絞り込みを行った。猫用のドライフード、犬用のウェットフード、自社の吸収体技術を活用したトイレシートなどに商品構成を絞り込み、集中戦略志向を明確にした。これが奏功して、一アイテムあたりの売上が大きく伸びた。ユニ・チャームのペットケア事業部は参入から満4年の1990年、前年対比140%を達成し、ようやく黒字が出るところまできた。

1995年に入り、紙おむつやナプキンの研究開発機能がペット事業にも本格的に流し込まれ始めた。市場で定評のある他の部門のノウハウと資源をペット事業にも結集、投入し、シェア拡大のため技術・商品力の差別化に本腰を入れはじめた。

1998年、ペットケア事業は子会社として独立するが、予想に反して業績は伸び悩み、ユニ・チャームグループの中でも問題児とみられるようになっていった。2000年度は減収、最終赤字は6億円と事態が深刻化した。当時の営業現場は、「月末ドン」と社内で呼ばれるような月末の卸店への集中出荷により、なんとか月次販売目標を達成するような帳尻合わ

せを風潮としていた。売れるあてのない商品が卸業者の倉庫を満杯にした。販促費という名目で、仕入れたくない仕入れをしてもらうための費用が膨らんでいた。そこで事業運営の基本的な方法として取り入れたのが「SAPSマネジメント・モデル」だった。2003年からは本格的に全社に導入された。

SAPSマネジメント・モデル

「SAPSマネジメント・モデル」は社員1人1人が行動計画を立て、実行し、達成内容を検証するという業務を繰り返し実践するものである。「SAPS」の四文字は、S｜Schedule（スケジュール＝「思考」と「行動」のスケジュールを立てる）、A:Action（アクション＝計画どおりに実行する）、P:Performance（パフォーマンス＝効果を測定し、反省点・改善点を抽出する）、S:Schedule（スケジュール＝今週の反省を生かして次週の計画を立てること）を表す。

SAPS会議では、全員で今週のパフォーマンスを振り返るとともに、次週の行動の重点を共有する。各人の努力を向ける先を統一し、全員で達成感を分かち合えるようにするためである。

一連のツールを誰でもうまく使いこなせるようにするために、守るべきルールや注意点、具体的な書き方などをまとめた詳細なマニュアルも整備された。

上司から「売ってこい」ではなく、「会ってこい」という言葉で送り出されるようになった営業担当者の多くは、新たな壁に直面することとなった。数字のプレッシャーがなくなったものの、決められた訪問回数をこなすのはそれほど楽ではなかった。特に、売上げの低いところは敷居が高く、訪問しにくい。いきおい、足を運びやすいところに偏りがちになるが、どの得意先に何回行くかはすべて決められているので、苦手な相手であってもそうそう避けていられない。

しかも、頻繁に訪問するようになれば、今度は次第に話すことがなくなっ

ていく。二ヶ月先までの受注が決まり、特売の了承も取りつけた、となると、思いつくかぎりの商談のネタは尽きてしまう。新しい話題もないのに会う必要はないと言われ、だんだんアポイントメントもとりにくくなる。

　営業担当者からはやがて、「向こうにしろ、こちらにしろ、話題も用事もないのに、毎週毎週行かなければならない。それがエンドレスに続いていくのだからたまらない。数字で管理されたほうがよほどマシだ」という声が上がるようになる。

　誰もができる行動に基づくマネジメントでは、できなかったときの言い訳が難しい。

　「数値目標を置く場合、自分の意思だけではどうにもならないことがあり、いろいろな言い訳が付いてきます。野球の試合で打てなかったバッターが『今日のあのピッチャーの出来は素晴らしかった』と言い訳するのと同様に、『この前のあの商談はいいところまで行っていたのに、競合がとんでもない好条件を提示してひっくり返してしまった』というように。しかし、行動に言い訳は一切通用しません。100％、自分の意思でどうにかなるものです」と、二神社長は指摘する。

　必然的に、営業担当者たちは自己変革するしかなかった。なにしろ商談相手である仕入担当者たちはいつも忙しい。その中でつかまえて話をし、リレーションを深めておく必要があるのだ。彼らに煙たがられることなく、自分が利用価値の高い営業担当者であると認めてもらうには、中途半端な対応ではとうていおぼつかない。どの営業担当者も、誰に言われるまでもなく、仕入担当者に「価値ある情報」を提供しようと、勉強に勤しんだり、同僚たちに相談したりするようになった。

　「営業担当者がいちばん嬉しいのは、取引先やお客様に貢献できたと、自ら実感できたときです。上司にほめられるよりも、お得意先から必要な存在だと認めてもらったり、『月末に電話待っていたのに、どうしたの』と声をかけてもらったりするほうが嬉しいのです。こういった一言のために、お盆休みやゴールデンウィークも返上して働きます。面白いことに、押し込みで個人目標を100％実現しても、あまり達成したという感覚はありません。やるべきことをきちんとやって、顧客や他の社員に認めてもらったほうが、ずっと達成感が味わえるのです」

営業担当者たちは、本部から提供される新商品企画やキャンペーン情報などを、乾いた喉を潤すように貪欲に吸収し、徹底して生かすようになった。これば、数字を詰めていたときにはまったく見られなかったことである。本部からの情報が発信されるのは、毎週金曜日の朝9時から始まるSAPS会議である。

　実は当初、営業担当者からもっとも強い抵抗感が示されたのは、この会議に参加することに対してだった。取引先との約束があるなどの理由から、毎週、定期的に参加するのは難しいと感じる営業担当者が多く、出席率は6、7割にとどまっていた。

　しかし、ここに情報が集約されているとなれば、話は違ってくる。会議に参加しなければ話すべきネタが仕入れられず、次週の行動に支障が出る。営業担当者たちは金曜日の朝は極力アポイントメントを入れないように気をつけるようになった。現在では、全員が出席している。

　行動ベースのSAPS経営によって営業現場は変わりはじめ、ユニ・チャーム ペットケアの業績は2001年度下期から早くも回復へと転じた。営業体制が整ったのを契機に、二神社長は商品力の向上に取り組みはじめた。そもそも商品が売れないのは、営業力のせいではなく、商品に競争力がないからである。

　現在は、フィールド・マーケティングの考え方に基づく綿密なリサーチを行いながら新商品を開発し、それを主要取引先の選定、販促ツールの強化といったマーケティング戦略などと結びつける次のフェーズに移っている。どこに何回訪問するかという行動基準が正しく設定されなければ、営業担当者の努力は報われない。その部分の精度をさらに高めることが重要だと考えたのだ。

アサイメント

　さあ、ケースを読み終わったところで、本ケースに対するアサイメントを

ご覧いただこう。このアサイメントをそれぞれ検討したうえで、以下の実況中継を読み進めてほしい。アサイメントを検討するためには、再度ケースを読みこなさないといけないことも多いはずだ。何度もケースとアサイメントを行き来し、自分なりの見解ができたところで、この先を読み進めていこう。

第4講 | アサイメント（課題）

☑ なぜユニ・チャームは消費者ニーズの
吸い上げに注力してきたのか

☑ 指示待ち体質を評価せよ、
同様に、押し込み営業を評価せよ

☑ SAPS経営の価値を、事業戦略、
マーケティング、営業の観点から説明せよ

DISCUSSION

なぜユニ・チャームは
消費者ニーズの吸い上げに注力してきたのか

牧田 │ ここからはユニ・チャームのケースを見ていきます。ユニ・チャームが扱う製品は生理用品、幼児用紙おむつ、ペット用品などですね。

　最初のテーマは「なぜユニ・チャームは、消費者ニーズの吸い上げに注力してきたのか」です。「注力しているのか」ではなくて、「注力してきたのか」。英語で言うと、現在完了形ね（笑）。つまり、ユニ・チャームは昔も今も、消費者ニーズの吸い上げに注力をしているということです。

▶市場の成長期にも消費者のニーズを考えていた

牧田 │ これまで見てきたケースでは、市場の成長期にはあまり消費者のニーズを吸い上げようとはしなくて、成熟期になってから吸い上げるという形でした。なぜかというと、成長期には需要量のほうが供給量より多く、企業が消費者のことをあまり考えなくても、製品を市場に送り込みさえすれば売れるからです。それが成熟期に移行すると、供給量のほうが需要量より多くなり、消費者の好みも多様化するので、企業は消費者のことを理解し、ニーズを吸い上げることが必要になりました。

　でもユニ・チャームは今までのケースとはちょっと違う。昔も今も、つまり成熟期に移行する前の成長期でも、消費者ニーズの吸い上げに注力していたというんですね。それはなぜかというのが問題です。

　テーマに入る前に、ちょっと市場の状況を見ておこう（図表44）。

　まずは生理用品。もともとはどんな売り方がされていたっけ。

A │ 薬局の奥に隠すように置かれていました。

牧田 │ そうだね。それがどうなった？

B │ スーパーの店頭で売られるようになりました。

▶ 1960年代、米国ではスーパーに山積みされていたが、日本では薬局の奥のほうに隠すように売られていた。その後、生理用品を「陰」から「日向」の存在へ⇒堂々とCM

▶ 1980年代、働く女性が増えた時代に、生理用品も多品種化

▷ 生理用品は、消費者が不満の声を挙げづらいので、潜在ニーズの掘り起こし、消費者ニーズの把握が成功のカギになる

▶ 1980年代、紙おむつ市場が拡大

▶ サイズや素材だけではなく、成長過程や体質、体調に応じた商品の提供

▷ 少子化により、育児が初めてのママが多い。商品情報のみならず、育児に関する様々な情報を発信することが成功にカギになる

牧田｜薬局の奥からスーパーの店頭に変わっていった。それって、どんな意味があるだろう。

C｜女性の地位が向上したということだと思います。

牧田｜ほう。なぜそう思う？

C｜昔は男尊女卑的な風土が残っていたから奥に置いていたのだと……。

牧田｜すごいロジックだな（笑）。

D｜かつては生理についておおっぴらに語れない時代だったので、奥のほうに置いていたのだと思うんですけれど、女性の地位も上がってきて、生理についても隠す必要がなくなったので、目立つところに置くようになった。

牧田｜やっぱり女性の地位向上なんだ。なるほど。みんな、今日はずいぶん壮大だね（笑）。購買の観点から考えるとどうですか。

E｜それまでは特定の顧客に対してしかアプローチできませんでした。それがマスにアプローチできるようになりました。「そうだ、買っておこう」というような、今、本当に欲しいというのではない人にもアプローチできるようになりました。

牧田｜「買っておこうかな」という人ね。「どんなものを買おうかな」と考える。マスを狙うということは、いろいろな人を対象とするということだから、いろいろな消費者のニーズを把握しなくてはならないことになるわけだよね。このニーズをどうやって把握するのかを考えなくてはならないですね。

　では次。紙おむつ市場はどうでしょうか。

F｜紙おむつ市場は日本にはもともとはなかったのですが、P&Gが1979年に進出すると、あっという間に100億円の売上を獲得し、9割のシェアを握りました。

牧田｜P&Gが進出する前には布おむつがあった。そこにP&Gがやってきて、紙おむつの市場を創出した。市場を形成したわけですね。その後はどうなったでしょう。

F｜ユニ・チャームが参入して、漏れ防止機能を出したことによって市場を拡大しました。

牧田｜そう。市場が拡大したよね。さまざまな機能や品質が向上した。で

は、次には消費者について考えてみよう。たとえば、幼児用紙おむつの消費者って誰ですか?

G｜消費者自身は赤ちゃんとか乳児、幼児です。ただ、それを購入するのは、母親や父親です。

牧田｜うん、そうだね。使うのは赤ちゃんだけど、買うのは母親か父親だよね。母親や父親が育てる子どもの数に関して、何か気がついたことは?

H｜少子化が進んでいるので、以前に比べて1人の母親が産む子どもの数が減っています。初めて赤ちゃんを育てるという親が増えていると思います。

牧田｜そうだよね。初めての子育てをしている母親の割合が増えてきた。経験値がないわけ。だから、紙おむつもどれを選んだらいいのか、よくわからない。ユニ・チャームにとっては、初めて赤ちゃんを持った母親や父親が主たるターゲットになる。一方、生理用品の場合は当然、ターゲットは女性です。さあ、ではユニ・チャームはこういうお父さん、お母さん、あるいは女性たちと、どういう関係をどうつくっていけばいいだろう。

I｜消費者に知識がなくても一目でわかるプロモーションをして関係をつくることが必要だと思います。

牧田｜子育て自体が初めてというお母さん、お父さんは、育児に関してももちろん知識ないし、紙おむつに関しても知識がないですよね。だから顧客に知識や情報を提供することが必要だと。

J｜紙おむつを買うお母さんと生理用品を買う女性の年代は重なっています。生理用品を使って「ユニ・チャームの製品っていいな」と思った女性は、紙おむつもユニ・チャームのものを使うようになると考えられるので……。

牧田｜関係だよ。顧客とどういう関係をつくればいいの?

J｜なので、ブランドを強くPRして、ブランドに対する信頼感を持ってもらえるような関係をつくるべきだと思います。

牧田｜信頼感を持ってもらうブランドはもちろんつくるべきなんだけど、このターゲット顧客との関係をどうつくっていったらいいだろう。

K｜悩みを相談できるような関係をつくるとお客さんは安心できるのでは。

牧田｜そのとおりだけど、実際のところ、顧客は悩みを相談できるかな。「生理でこういうことに困ってます」とか。どうですか。

L｜特に生理については女性はあまり口を開きたくない部分もあると思います。悩みは打ち明けにくいので、実際にどういうふうに使っているかなどを、消費者の生活の中に入り込んで観察するのがいいのではないかと思います。

▶不満の声が挙がりにくい製品

牧田｜具体的な悩みはちょっと相談しづらいよね。紙おむつに関しての悩みを持ちかけてもらうのはもっと難しい。使っているのは赤ちゃんで「エーン」しか言えないから。ペット用品にいたっては、使うのは犬や猫で「ワンワン」「ニャンニャン」と鳴くだけですよ。

一同｜（爆笑）

牧田｜生理用品市場も紙おむつ市場もペット用品市場も、顧客は不満の声を挙げたり相談したりしにくい。企業としては、それをどう把握するかが重要になります。ユニ・チャームが商売を成功させるには、この問題をクリアしなくてはいけなかったんだね。

　紙おむつについては、父親や母親の多くは初めての子どもで、赤ちゃんについても育児についても知識がない。だから紙おむつだけではなく、子育て全般に対する情報提供をすべきだということになる。

　いつもの市場のステージの話を思い出してください。成長期と成熟期の違いです。もう1回説明しておきますよ。成長期は需要と供給を比べると、需要量のほうが供給量よりも多いんでしたね。企業が製品やサービスを出しさえすれば、顧客からそれを受け入れてもらえる。顧客ニーズは単一で、品質や機能がより高くなりさえすればいい。一方で、成熟期というのは需要量よりも供給量のほうが多い。顧客ニーズは細分化していきます。その細分化したニーズを捉えなくてはいけないから、消費者ニーズの把握が必要になります。これが今まで見てきたケースの説明。

　成長期には品質や機能を向上させれば、顧客のニーズを満たせるか

ら、割と楽なんですよ。だから実際、エレクトロニクス製品も自動車も、成長期には品質、機能をひたすら向上させてきたわけです。どういう品質を向上させればいいのか、どういう機能を向上させればいいのかというのは、特別に顧客ニーズを把握しようと一生懸命にならなくても、顧客がクレームを出してくれるからすぐわかった。企業はそれに応えさえすればよかったわけ。

　ところが、ユニ・チャームの場合はそうはいきませんでした。顧客はそのクレームさえ出してくれないからです。赤ちゃんが紙おむつのことを「ちょっとこれ、かたいんです」なんて言ってくれないよね。

　品質や機能に関するところですら、クレームが出るということがあまりない。自らアプローチしなくてはいけません。だからユニ・チャームは成長期であっても、自ら顧客ニーズを吸い上げることが必要だった。顧客のニーズを聞けないからこそ、自ら聞く姿勢が必要だったっていうことになるわけだね。

指示待ち体質を評価せよ、同時に、押し込み営業を評価せよ

牧田 | 次のテーマは「指示待ち体質を評価せよ、同時に、押し込み営業を評価せよ」です。

　評価するということは、究極的な答えは「よい」か「悪い」かどちらかしかありません。どちらだと思ったか聞いていきますよ。では指示待ち体質、よいと思う人、手を挙げて。1、2、3、4……41、42。42人か。多いね。この講義を受講しているのは72人ですから、悪いと考える人が30人。面白いね。普通、指示待ちって聞くと「ダメでしょう」となるけど、このクラスは肯定的に捉える人のほうが多い。はい、では指示待ち体質でよいと考えた人、その根拠を教えてください。

▶営業は考えるべきか、考えなくていいのか

A｜創業期でこれから会社を大きくしようというときとか、新規事業を始めるときなどは、カリスマ経営者の強いトップダウンの下、中央集権型の経営スタイルで事業を進めていくことが有効なのではないかと考えました。

牧田｜トップダウン型、中央集権型が機能するんじゃないかと。

B｜今の意見につけ加える形ですけど、カリスマ経営者が追求する中央集権型の経営を有効に機能させるには、実行部隊が必要です。確実に経営者の指示どおりに動くためには、ある意味イエスマンがいい。そういう点から、指示待ちのほうがよいと考えました。

牧田｜実行するヤツらは何も考えるなと（笑）

一同｜（笑）

牧田｜経営者から言われたとおりに動けということね。斬新だね。もう1人ぐらい聞いてみよう。指示待ちでよいと思う人。

C｜初代の高原さんが社長に就いていた時代というのは、市場に製品を浸透させはじめていこうという時期で、顧客も営業部隊も、その製品が本当にいいものなのかについての確信はない状態だと思います。そういうときには、責任をとれるトップが、「これは絶対にいい」「間違いなく売れる」などと覚悟を持ってトップダウンで進めるのがいいのかなと考えました。

牧田｜皆さんの考えでは、営業は考えてはダメだと（笑）。社長が「大丈夫だ、考えるな、とにかく売ってこい。あとでクレームが入ったら、オレが何とかする」というのでいいと。面白いですね。では、反対に指示待ち体質は悪いと考えた人。なぜ悪いと考えましたか。

D｜カリスマ社長が健康で企業が成長している間はいいかもしれないですけど、その社長が何らかの理由で退いたときに事業が存続できなくなるんじゃないかと考えました。企業としての繁栄を考えたとき、続かないというリスクがあるのではないかと。

牧田｜トップが交代したときのリスクね。なるほど。

E｜ひとつ前のテーマで議論していたように、ユニ・チャームは消費者ニーズの吸い上げに注力してきた会社です。消費者ニーズの把握には、小売店と密に接触することが必要です。営業からボトムアップで情報を拾い、提案していくほうが有効だと思います。そういう意味で、指示待ちではよくないと思います。

牧田｜さっきは営業は考えなくていいという話が出ていたけど、そんなことはない、自分で考えろと。営業は自分の脳みそ使って提案しろというわけね。さあ、どちらがいいんでしょう。

　今度は押し込み営業について聞いてみましょうか。押し込み営業がよいと思う人、手を挙げて。1、2、3……11、12。12人だね。ほう、こっちは少ないね。悪いと思う人が60人ということですね。じゃあ、押し込み営業がよいと思った人、理由を教えてください。

F｜紙おむつも生理用品も消費財なので、たくさん売れれば売れるほど規模の経済がききます。いち早くスケールメリットを得てシェアを伸ばすのに有効だと思います。

牧田｜スケールメリットを出したいから、押し込み営業もいいじゃないかと。

G｜初代の社長時代の市場は成長期でした。ということは、製品を流せば流すほど売れます。一刻も早くモノを売って目標を達成し、成長して、規模を大きくしていきたいです。

牧田｜市場は拡大している。だから、とにかく押し込んで流通させることが重要だということですね。あと1人聞いてみようか。

H｜押し込み営業で卸売業者に売り込むと、その卸売業者にも大量の在庫が残るので、在庫をはきたいと思って熱心に流通に対して販売を進めていくんじゃないかと思います。

牧田｜押し込み営業すれば、卸売りの人たちも頑張るだろうってことね。なるほど。では今度は、いやいや、押し込み営業はよくないよと考えた人。理由を聞かせてください。

I｜先ほどから、製品をいち早く売るべきだとか、流通させることが大事だという意見が出ていますが、卸売業者の倉庫に押し込んでも意味がないと思うんです。店頭に商品を出して、店頭から消費者に渡ることに注力をしていかなきゃいけない。押し込み販売をしていると、営

業マンの活動が卸すことに集中してしまうので、よくないと思います。

牧田｜倉庫では意味がない、店頭に出さなくちゃいけないんじゃないかと。

J｜営業が製品をどう売るかというプロセスを度外視して、結果ばかりに注目するというのがよくないと思います。押し込むことばかりに集中するというのは、営業マンが、その製品をどう売るかということを考えないことにつながります。

牧田｜なるほど。ちなみにJさんは、指示待ち体質についてはどう考えたの?

J｜えーと、指示待ち体質については、逆によいと答えました。トップダウンがいいと思って。

一同｜（爆笑）

J｜私の中では、トップダウンと押し込み営業は若干違うんです。

牧田｜うん、違う違う（笑）。

J｜トップダウンは、基本的に必要なことだと思うんですけど、押し込み営業は正直、普段、自分がやらされている側なのであまりよくないなと（笑）。

一同｜（笑）

▶市場のステージを軸に考える

牧田｜はい、営業は考えるべきなのか、考えなくていいのか、いろいろな意見が出ましたけど、どちらなんだろうね。こういうふうに検討していくと、面白いですね（図表52）。

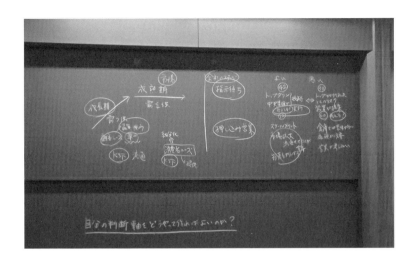

　これについては、いろいろな考え方があります。

　評価のひとつの基準になるのは、市場のステージです。初代の高原慶一朗社長のときには成長期だったのか、成熟期だったのかで判断をすればいい。このときは成長期でした。これまでにもずっと見てきたように、成長期のKey Success Factorは流通です。需要のほうが供給よりも多い。市場に商品が足りないんだから、「とにかく流せ」ということになる。だから、成長期には、「考えるな」というのもいいわけ。逆に成熟期は売れないから「考えろ」ということになります。成熟期のKey Success Factorは消費者ニーズを正確に把握して、そのニーズに応えるものを提供していくことになる。

　この視点で考えると、成長期にトップダウン型、中央集権型で経営を行い、社員は指示待ちで何も考えず、ひたすら実行するだけという形でも構わないということになる。押し込み営業も、市場が拡大している最中で、商品を流通させることが重要で、流通させれば、バンバン売れる、そもそも店頭からすぐなくなっちゃうという時期ならいいじゃないかっていうことにな

ります。

　でも、気をつけないといけないのは、考えない組織って、リーダーがひとつ間違うと、あらぬ方向に行ってしまうことがあるということです。それはいろいろな企業が証明しているよね。東芝はどうしてあらぬ方向に行っちゃったのか。スルガ銀行は、なぜあらぬ方向に行っちゃったのか。それは管理職も従業員も何も考えなかったからでしょう。

　市場のステージという軸で考えたときには、原理原則からいえば、成長期には指示待ち体質も押し込み営業もいいじゃないかという話になります。でも、リーダーシップのあり方を考えたときに、倫理的な視点で見ると、ここには危うさがある。トップダウンでリーダーが間違えてしまうと、組織もろとも全く違う方向へ行ってしまいますから。それには気をつけなくてはなりません。

　だから「よい」でも「悪い」でも、いろいろな考え方があって構わないんです。どの軸で考えたのかということをクリアに伝えることが重要です。

　僕は今、市場のステージという軸で話を進めました。別の軸でもいいですよ。皆さんはどういう軸で判断したのか。少し、周りの人と意見交換をしてみましょう。

（周囲の人と議論）

牧田｜はい、一度議論をストップしてください。では聞いていきますよ。指示待ちや押し込み販売は「よい」か「悪い」か。皆さんはどういう軸で判断をしましたか。説明できる人、いますか。

K｜私は、指示待ちは「よい」、押し込み営業は「悪い」に手を挙げました。指示待ちをよいと判断したのは成長期だから。押し込み営業を悪いとしたのは、企業倫理のところが気になったからです。ユニ・チャームは1976年に上場しています。上場企業として責任がある中で、見せかけだけで売上を上げるというのはちょっと…。

牧田｜見せかけだけにはならないでしょう。市場成長期だから。成長期には押し込み営業をすればするほど売れるんだよ。押し込めば押し込むだけ店頭に流れる。店頭に流れたら、みんな、「あった、あった」と買ってくれ

る。これが成長期。

L｜私は会社のステージを軸に、どちらも「よい」と考えました。

牧田｜面白い。さっき僕が紹介したのは市場のステージだったけど、会社のステージで考えたと。

L｜会社を立ち上げて間もない時期だと、社長が言う会社の方針について行っていいのかと疑心暗鬼になったりするかもしれないので……。

牧田｜立ち上げて間もなくは疑心暗鬼になるんだ。会社が大きくなってからなら疑心暗鬼にならない?

L｜成果が出れば、社長の判断が正しいことがはっきりするので、ついていこうと思えるのではないかと。立ち上げて間もなくは結果が見えないので、ちょっと疑問に感じたりするかもしれません。そういうときにトップから具体的な指示がきて、まずはそれをやるという意味で、トップダウンはありかなと思います。押し込み営業に関しても、押し込んだ後に結果として売上が立って会社が成長したことが実感できれば、「この会社のやり方は間違っていない」と社員も理解できる。そういう点から、会社のステージで考えると、どちらも「よい」と言えると思います。

牧田｜今の軸では前半は説明できるけど、後半は説明できないね。指示待ち体質については、みんながベクトルを合わせて頑張るっていうことでありですね。押し込めば必ず買ってもらえるかどうかについては、顧客の要素が入るから、会社のステージだけでは判断できない。市場の要素を入れていかないとダメだということになりますよ。でもナイスチャレンジです。

M｜事業領域の特徴という軸で考えました。

牧田｜それはどういうこと?

M｜消費者のニーズを聞けない事業なので、しかも会社の立ち上げ期で、データも何もない状態だったので、誰かが「これをやる」と決めていくことが必要ではないかと。なので指示待ち体質は「よい」と思います。

牧田｜顧客の声を聞けないから、高原社長が考えた生理用品や紙おむつをみんなで売ってこようと。

M｜まずはそこから始めることが大切だと思いました。

牧田｜出発はそうかもしれない。出発した後は?

M｜出発して大きくなるまでは、その方針でマーケットをつくることが必要なのではないかと思います。

牧田｜では、消費者の声はどうやって聞いていく?成長期であっても品質を向上させなくてはいけない。どうやって聞いていったらいいんでしょう。

M｜何が売れたか、何が売れなかったかというデータを見ることで消費者のニーズを把握する。

牧田｜うーん、でも顧客ニーズは単一で、商品ラインナップもほとんどないんですよ。最初の頃はね。データを見ても何か明らかになりそうじゃないね。

M｜……。

▶今の時代に引きずられず成長期をイメージする

牧田｜こういう問題を考えるときに難しいのは、僕らは2019年（授業時）に生きていて、今の時代に引きずられてしまいがちだということです。今は成熟期だから、どんな製品も多品種のラインナップになっている。でも、成長期の出はじめの頃は単一なんですよ。市場が成熟化するにしたがって、いろんなラインナップがそろってくるんです。皆さんのイメージしやすいところで言うと、スマートフォンとか携帯電話とか、パソコンなんかがそうだったよね。

日本における成長期って、はるかかなたのことだから、なかなかイメージしづらいよね。そういう僕も、大学に入って少しした頃にバブルが崩壊したから、僕自身は社会人として日本国内で市場成長期を体験したことがないんです。「何だか大人たちが楽しそうにやってるな」と感じていただけ。肌で感じていないものを、時間を巻き戻して想像をしなくてはいけないというのは簡単ではないですね。なので、自分の視点、視座を巻き戻すトレーニングを、ケースでは必ずやっていってくださいね。ケースを読むときには、「これはいったいいつの話?」「何年ごろの話?」ということを常に意識をしていきましょう。

SAPS経営の価値を、
事業戦略、マーケティング、
営業の観点から説明せよ

牧田｜では、次のテーマに移りますよ。次は「SAPS経営の価値を、事業戦略、マーケティング、営業の観点から説明せよ」というものですね。

　ユニ・チャームはカリスマ経営者だった初代社長の高原慶一朗氏の後を受け、長男の豪久氏が39歳で2代目社長に就任します。豪久社長は組織力の経営を実践しようと、SAPS経営という経営手法を取っています。顧客のニーズを拾い上げるだけでは優位に立てない、差別化できないと判断して、新たな足がかりとして導入したのがSAPSです。

　企業には経営理念があって、経営戦略がありますね。その経営戦略を実行していく際には年間目標を立てて、半期目標を立てて、月次目標、週次目標……とどんどんブレークダウンしていきます。ユニ・チャームはそこにSAPSを使っています。

　SAPSは何の略かというと、SはSchedule。計画を立てることですね。AはAction。計画どおりに実行すること。PはPerformance。効果を測定して反省点、改善点を抽出する。そしてまた、SのSchedule。反省を活かして次の計画を立てるわけです（図表46）。

　中身をよく見たら、PDCAと変わりません。PDCAよりも修正に重きを置いている。それをSAPSと表現しています。では、SAPS経営の特徴って何だろう。

A｜全社員の思考と行動を一致させて大きな成果につなげていくこと。

牧田｜なるほどね。 Aさん、 思考と行動を一致させるということは、 みんな同じ思考になるということなのかな。 軍隊が一斉に行進するみたいに、 全員同じことを考えてるの?

A｜そうではないと思います。 いろいろなアイデアを生み出していくものです。

牧田｜いろいろなアイデアが生まれるんだったら、 思考は一致していないんじゃない?

A｜ただ目標は一緒なので……。

牧田｜そう。 目標は一緒なんだね。

A｜はい。 目標は一緒なので、 その目標に向かうための思考は、 さまざまあっていいと思います。

牧田｜それじゃ一致してないってことじゃない (笑)。 この一致というのが何かを考えないといけない。 今の話を聞いていると、 一致ではなく分散に思えた。 どうなんだろうね。 他にはどうですか。 SAPS経営の特徴。

B｜PDCAと比べると、 PDCAは立てた計画を検証するところに重きを置いているのに対し、 SAPSは立てた計画を修正して行動して修正して、 という上塗りをしていくことに重きを置いていると思います。

牧田｜PDCAよりも修正に重きを置いていると。

C｜結果よりもプロセスを重視しています。 初代の慶一朗社長は結果を求めていました。

牧田｜うん、 そうだね。 結果よりもプロセス。 初代のやり方は結果重視だったけれど、 2代目はこれを変えた。

D｜社員一人ひとりが行動計画を立て、 実行し、 効果を測定し、 反省を活かして次の計画を立てるということで、 SAPSは社員の自発的行動を促しているのが特徴だと思います。

牧田｜確かにそうだよね。 SAPS経営で自発的な行動を促すっていうことだけど、 そもそも、 どうして 「自発的に動け」 と言わなくちゃいけないの?

D｜それまでは市場が成長期で初代の慶一朗社長のトップダウンの下、中央集権的な経営でやってきましたが、市場は成熟期に変わり、また2代目社長に代わったことで、考える営業に転換していかなくてはいけなくなったからだと思います。

牧田｜「考えるな」という初代に対して、「考えろ」の2代目という構図ね。SAPS経営とは2代目経営ということか。他にどう? SAPS経営の特徴。

E｜反省点と改善点を抽出しています。

牧田｜反省点と改善点を抽出する。修正や反省に重きを置いているということだよね。さっき、自発的という言葉が出てきたけど、自発的に何をすることを求めているんだろう。

F｜SAPS経営というのは営業に関する施策なので、自発的に顧客のニーズを取りに行くというところにつながると思います。

牧田｜自発的に顧客のニーズを取りに行く。それはアクションだよね。自発的に考えるというときには、何を考えるんだろう。

G｜目標に到達するためのやり方。

牧田｜「HOW」を考えるわけだね。じゃあ、目標は何だろう。

H｜少しずれてしまうかもしれないですけど、「共有する」ということが大切なのかなと。

牧田｜どういうことですか。

H｜会議であるとか、いろいろなやり方を共有することで、グループ意識の高さや組織的な強さを求めているのかなと感じまして。

牧田｜なるほど。いろいろなやり方を共有しますと。ちょっと聞き方を変えよう。目標というのは誰が決めているの?

I｜会社が決めています。

牧田｜会社って誰だ。

I｜社長。

牧田｜社長が決めていると。

I｜はい。

牧田｜社長以下、経営陣が決めているんだね。SAPS経営っていうのは、何をつくるのかは経営陣が決めています。これはトップダウンなんですか、ボトムアップなんですか。

▶SAPS経営はトップダウンかボトムアップか

J｜両面あると思います。2代目社長は「共振の経営」というコンセプトを打ち出しています。目標はトップが決めて、自発的というところに関しては、経営戦略そのものをボトムアップで決めているのだと。

牧田｜戦略を決めるんだ。

J｜戦略策定にいたるアイデアを出しているのだと思います。

牧田｜戦略って、「何をやるか」を決めることだよね。それをどうやってやるかというところまで落とし込んだのが実行計画。月次計画とか、週次計画とかね。これまでに説明してきたとおり、経営戦略策定のプロセスは3つありましたね。なんだっけ?言える人。

K｜現状分析と……。

牧田｜はい、現状分析ね。それから。

K｜課題設定。

牧田｜え?そんなこと言ってたっけ?ちゃんと覚えろよ。

L｜現状分析と戦略策定と実行計画です。

牧田｜そう。現状分析と戦略策定と実行計画だね。だからさっきのJさんの話に戻ると、目標っていうのは、この戦略になる。ということは、戦略は誰が立てるの?やることを決めるのは誰?

M｜やることはトップが考えています。

牧田｜トップが考えるんだよね。じゃあ、どうやってやるかは?

M｜実行計画はボトムが考えます。

牧田｜そう。だから2代目社長も完全なボトムアップにはしていない。初代は完全トップダウンだったけど、2代目で完全ボトムアップに転換するかと思ったら、そうではなく、半分半分にしたんですね。だからSAPS経営の特徴はトップダウン、ボトムアップの半々にしたことといえます。

　じゃあ、なぜボトムアップなんて入れたのでしょうね。

N｜従業員の満足感や達成感を満たすためだと思います。現場のモチベーションを維持したかった。

牧田｜ということは、現場のモチベーションが下がっていたの?

N｜「イエス」を言うばかりだとちょっとモチベーションが下がるかなと……。

牧田｜いや、だって、イエスマンばかりが集まってるんだもん（笑）。

一同｜（爆笑）

N｜そうなんですけど、その中でも、少しでもモチベーションを維持するために必要だったのだと思います。

O｜自主性と能動性を促進したかった。

牧田｜なんで自主性を促進する必要があったの?

O｜それまではすべてトップダウンで決めていて、結果オンリーで、従業員は言われたことしかできませんでした。自分で考えるということを全くしていなかった。そのままでは営業スキルも上がりません。中長期的には明るい見通しも立たないというか……。

牧田｜そうだよね。ずっと初代が経営していた。組織にはイエスマンばかりが残っちゃった。さっきNさんが言ってくれたように、「イエス」じゃない人はモチベーションが下がって、出て行っちゃうわけ。ということは、ユニ・チャームにはイエスマンばかりが残るという構造になる。2代目は蓋を開けてびっくりですよ。イエスマンばっかりで。

一同｜（爆笑）

牧田｜「これ、どうするんだ!」って。しかも環境が変わってきている。市場の成長期から成熟期になってきている。やらなくてはいけないことは、流通にバンバン押し込むことではなく、脳みそを使って消費者ニーズを正確に把握すること。考えることが必要になった。何をやるかは経営陣が決めるけれど、それをどう達成するかは指示されたとおりにやるのではなく、自分たちで考えろという形に変えていった。これがSAPS経営なんです。

　もう一度整理すると、SAPS経営の目標はトップが決めます。だからトップダウンであることは変わらない。こうして、全社のベクトルを一致させます。ただ、その目標をどう達成するかは個人が決めます。指示待ちではなく、単なるイエスマンではなく、きちんと自分で考える社員で構成した組織にしたかった。一人ひとりが自分で考える自立型の社員育成を目指したというわけです（図表54）。

上位概念からの落とし込みなので、
トップダウンであることに変わりはない

全社のベクトルを一致させることが目的なので
トップダウンの強化ともいえる

目標をどう達成するかは、個人が決める
「指示待ち」から「能動的意思決定」へ

指示待ち体質を改善し、社員一人一人が自分で考えて
行動する「自立型の社員」育成を目的

　では、そのSAPS経営の価値を事業戦略、マーケティング、営業の視点から説明していきましょう。まず事業戦略から見ていきましょうね。SAPS経営の価値、事業戦略からどのようにいえると考えましたか。

▶SAPSで戦略の実行性を高める

P｜市場の変化に伴い、Key Success Factorが変化しています。その中で、オーナーシップの欠如は事業戦略を遂行していくうえで明らかに弱みになってしまうので……。

牧田｜誰のオーナーシップがないの?

P｜社員です。

牧田｜うん、社員にオーナーシップがないよね。

P｜はい。その弱みを改善するために、このSAPSのような戦略を取

り入れることは有効だと思います。

牧田｜SAPSは戦略じゃないよ。戦略っていうのは解決策のことだからね。SAPSは実行計画。言葉の定義に気をつけよう。

Q｜SAPSによって戦略の実行性を高められると思います。

牧田｜どういうこと？

Q｜つくった事業戦略に対して、実行計画を定めているので、両者の整合性が高められます。おのおのが勝手に行動計画を立てるよりは、整合性を担保できると思います。

牧田｜確かにそうだよね。ナイスですね。

R｜現場の社員が顧客のニーズを吸い上げて経営者に情報を伝えるようになるので、戦略がより適切なものとなると思います。

牧田｜現場がニーズを把握するようになるね。営業やマーケティングについてはどうですか。

R｜営業がニーズを把握するようになるので、マーケティング戦略の検証も高度化すると思います。

牧田｜そうだよね。ニーズを把握するようになるので、戦略を立てるための情報が増える。その結果、マーケティング戦略を立てやすくなりますね。

S｜SAPSのサイクルを週単位で回していくことで、営業はタイムリーに情報を把握できると思います。そうすると、事業戦略自体が的はずれなものになりにくいという面があります。

牧田｜営業が情報を把握するっていうことだけど、SAPS経営のもとでは営業には何が求められている？ここ重要だから少し議論しますよ。もう1回、ケースを読みながら、周りの人と確認してみてください。

（周囲の人と議論）

牧田｜考える軸を出すよ。それまでの営業には何が求められていたんだっけ？

T｜押し込み営業。

牧田｜そう。それまでは押し込みだった。ではSAPS経営では何を求められるようになったんだろう。

U｜押し込み営業から、お客様の困りごとを解決する、もしくはニーズを満たす営業が求められるようになりました。（図表48）

図表48｜**SAPS経営の特徴**

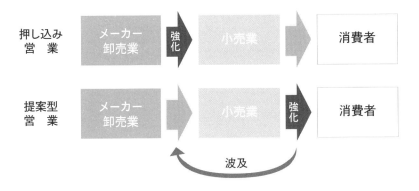

▶顧客の困りごとへの対応が求められるようになった

牧田｜何か難しいことを言われるようになっていますよね。これ僕、言われたら嫌だな。たぶん会社辞めちゃう（笑）。

一同｜（爆笑）

牧田｜それまで押し込み能力をものすごく高めていて、卸の人たちに「お願いしますよ、入れてください」って言っていたのに、突然、顧客の困りごとに対応しないといけなくなるなんて。どうすればいいのかわからないよね。小売店で「何か困っていることありますか？教えてください」って言うの？「なんでお前に教えなきゃいけないんだよ」って言われるよね（笑）。「なんだ、君は。いったい何しに来たんだ」ってなってしまうでしょう。さあ、SAPS経営で営業は何をしていったらいいのか。

V｜営業というのはプロモーションの一部なので、棚割りを一緒に考えたらいいのではないかと思います。

牧田｜なるほど。今まで「お願いです、入れてください」って押し込んでいたけど、突然、「さあ、棚割りどうしましょうか」って（笑）。店長さんぶったまげるだろうね。

一同｜（爆笑）

牧田｜でも今まで挙げてくれたもの、全部、合ってるんですよ。ユニ・チャームの営業は経営陣からそう言われた。「いくら売れ」って言われないから、押し込むことができなくなった。その代わり、「困りごとを見つけてこい」って言われている。でも、突然、そんなことを言われても、困りごとなんて、簡単には教えてもらえないよ。では営業の人たちはどうしたらいいんでしょうね。何をしていったらいいだろう。

W｜困りごとというのは、流通側が持っているものではなく、顧客が持っているものなので……。

牧田｜顧客っていうのはエンドユーザーね。

W｜はい、エンドユーザーです。

牧田｜エンドユーザーの困りごとを小売店に聞きに行く?小売店との関係をつくれって言われているのに?「うちの商品でエンドユーザーの皆さん、何に困っているんでしょうね」って店長に問いかけたら、「そんなことうちに聞くな」って言われちゃうんじゃない?

一同｜（爆笑）

W｜困りごとが相手から引き出せないのなら、こちらから何か提案をして、相手のリアクションを引き出せばいいのではないかと思います。

牧田｜「僕、知っていますよ。何か困ってるでしょう」って言うとか?（笑）難しいよね。どうしていったらいいのか。

X｜ちょっとやりすぎかもしれないですけど、店に入って、店員として売り場で売る。

牧田｜なるほど。労務提供をするっていうことね。そこで何するの?

X｜直に顧客と接する。

牧田｜小売店にはエンドユーザーがたくさんやって来ます。自社の製品と競合の製品とをどう比較し、最終的にどう決断して購買にいたっているのかをリアルに見ることができますね。それはひとつの解になるよね。OK、ナイスです。悩みを特定する。現場でいろんな情報を取る。うまくいったら、他の人との成功を共有する。ケースの中ではSAPS会議っていうのがあったね。どういうものだっけ。

▶SAPS会議で情報を共有

Y｜ 営業全員が参加する「週次SAPS営業会議」と、幹部社員を対象にした「SAPS経営会議」を開いていました。

牧田｜ うん。毎週、金曜に開く週次SAPS会議には営業全員が参加するんだよね。営業の人たちもその日には現場に行かないんですよ。小売店から「ちょっと来てよ」って言われても、「すみません、行けません」って答えることになる。メーカーの営業の現場では、ふつうそんなことはあり得ない話なんです。小売店の店長に呼ばれたら、瞬時に飛んでいくのがメーカーの営業ですからね。でも、金曜日には飛んでいかない。営業の立場がなくなっちゃうけど、でもそれぐらいSAPS営業会議を重視しているということなんです。では、そのSAPS営業会議では何をやっているんだろう。想像できますか。

Z｜ 現場の課題の共有だと思います。

牧田｜ というのはどういうこと?

Z｜ 小売店の困りごととか、消費者のニーズを情報共有する。

牧田｜ なるほどね。営業にいる全員は取れないとしても、誰か1人でも困りごとをうまく聞き取ることができれば、その困りごととか、その解決策をみんなで共有すればいいですよね。顧客ニーズの把握に関しては、もはや差別化ができなくなったけれど、小売店との新たな関係の構築に関して差別化ができるかもしれない。

　ここで一度整理すると、提案営業というのは、顧客と一緒になって問題や課題を解決していくことです。さっき、押し込み営業していた人が提案営業をすべきだとか、棚割りをすべきだという意見が出たとき、僕はあえてオーバーに「本当にできるの?」と問いかけた。解釈の結果として、「こうしたらいい」という解は出せます。でも、それを実際に実行していくのは営業にとって本当にしんどいことだということは理解しておかないといけない。

牧田｜ さあ、これで今回のAligning Strategy and Salesの授業は終了です。いやぁ、頭使ったねー(笑)。皆さんの表情を見ていると、ドッと疲れが出ているのが見て取れます(笑)。

一同｜（笑）

牧田｜この授業、後から書籍になるんだけど、おそらく書籍に入れられるの
は、授業の1/3もいかない。でも、この書籍読んだ読者の皆さんも結構疲
れてると思います（笑）。読者の方々の3倍以上この授業に喰らいついてき
た皆さんは当然疲れるよね（笑）。もっとも、皆さんはリーダー候補生なんだ
から、頭を使うことが仕事。じゃあ、頭をガンガン使わないといけないよね。

　他の授業も同様だと思うけど、僕がこの「Aligning Strategy and
Sales」を通して皆さんに学んでいただきたかったことは、大きく分けて2つ
あります。「大きく分けて」っていかにもロジカルシンキングだよね（笑）。

一同｜（爆笑）

牧田｜ひとつは、経営戦略やマーケティングの基礎知識を確固たるものに
して、そこからケースを解釈する力を養成すること。経営戦略やマーケ
ティングの基礎知識が不十分なままケースを分析したって、そんなの四方
山話にしかならない。そんな無駄な時間はMBAで費やすな、居酒屋で
頭にネクタイ巻いてやってろ、ということだよね。MBAで、ビジネスの最
前線で活躍する皆さんの貴重な時間を費やしてやるべきことは、経営戦
略やマーケティングの基礎知識を確固たるものにして、そこから目の前の問
題を解決していくこと。だから、この授業の中では皆さんに徹底的に型に
はまっていただいたわけです。型もできずに好き勝手に話すのは「型な
し」。MBAの授業に参加する資格はない。型を確固たるものにして、そこ
から脱皮するのは「型破り」。皆さんには、型破りなビジネスパーソンに
なっていただきたいと思い、この授業を行ってきました。

　もうひとつは、経営意思決定、リーダーシップ能力を向上させること。で
は、どうやったら経営意思決定をでき、リーダーシップを採れるようになるの
か。ゆるぎない自分への自信しかない。自分の判断に自信がなくて、経営
意思決定なんかできるわけないじゃん。自分に自信がなくて、誰が自分に
ついてくるんだよ。自分に自信を持ってほしい。だから、この授業で僕は壁
になる。テニスや卓球の壁打ちのように、壁になる。皆さんの判断、意見
にさまざまな指摘をする。僕の指摘を乗り越えられないことがある。全く問
題ない。MBAだから。経営意思決定をできるようになるトレーニングをし

ているだけだから。トレーニングではいくらでも失敗すればいいじゃん。この教室を出て、皆さんがビジネス実務の現場で失敗したら駄目だよ。でも、教室ではいくらでも失敗すればいい。そして、僕のさまざまな指摘を乗り越え、ぜひ自信をもってビジネスの最前線で頑張ってほしい。そういう思いで、この授業を行ってきました。

　大変だったと思うけど、よく頑張りましたね。そして、本書をお読みいただいた読者の皆さんもよく頑張りました。最後まで本授業を受講いただいて、本書をお読みいただいて、ありがとうございました。教室のドアを開けたら、本書を閉じたら、ビールをグッと1杯いってリフレッシュし、また頑張っていきましょう。

　では、以上でAligning Strategy and Salesを終了します。皆さん本当にお疲れさまでした。

一同 ｜ ありがとうございました。
一同 ｜ （拍手）

著者あとがき

　僕が名商大ビジネススクールに赴任してから1年半が過ぎようとしている。その間、経営戦略、マーケティング系の授業を担当し、数多くの学生と接してきた。学生といっても、僕よりも年上の学生もいれば年下の学生もいる。自動車業界、製薬業界、医者、弁護士、さまざまなバックグラウンドを持った学生が集まってくる。日本企業の上場企業、外資系企業の取締役や執行役員も授業に参加し、授業でうまく回答できず、僕に詰められている。会社の中では、まずありえない光景だろう（笑）。一方で、5年目程度の若手ビジネスパーソンが「会社の上司はぬるくて、こんなに詰められるのはとても刺激的です！」と言ってくれることもある（笑）。いずれにしても多種多様な学生が集まり、ダイバシティとはこういうことだと実感できる教室だ。

　一方で、すべての学生に全くブレずに共通していることがある。それは、真剣に真摯に授業に臨み、授業で真剣勝負をしていることだ。ビジネスの最前線で活躍するビジネスパーソン＝世の中でも最も忙しいセグメントの人たちが、貴重な時間を費やし、学びを得ようとする。それはそれは真剣だ。だからこそ、我々もまた真剣に授業に対峙しなければならない。自分の脳みそをフル回転させ、学生たちとそれぞれのアサイメントについて討議する。大変ではあるが、実に充実した、代えがたい貴重な時間である。

　このような授業を提供する場がある名商大ビジネススクールに赴任し、本当に良かったと、この1年半を振り返りしみじみ思う。名商大ビジネススクールの学生たちも良く知っているが、名古屋商科大学栗本理事長のスカウトで、僕は名商大ビジネススクールに赴任した。赴任当初は「どんな学生がいるんだろう？ ここの学生、僕の授業についてこれるかな？」と考えていたのだが、最初の授業（2018年度Aligning Strategy and Sales）で、その杞憂は一掃された。

本書籍の基になった授業は2019年度Aligning Strategy and Salesだが、2019年度同様、2018年度も学生たちは積極的に授業に参加してくれ、活発な議論が交わされた。「名商大ビジネススクールは授業をやっていて面白い。これからもここで僕の価値を発揮しよう」と決意することができた。

　同僚の先生方も実務家出身ばかりで、頭でっかちで自分では1円たりとも稼いだことのない実務能力ゼロの学者上がりの先生がいない。日本のMBAでおかしなところは数多くあるが、その代表例が、実務能力のない学者上がりが実務の最先端を走る学生を教えることである。実務の素人が実務のプロを教えているのだ。こんなに不思議なことはない。しかし、名商大ビジネススクールは、本当の実務のプロフェッショナルが集まるMBAであり、これもまた素晴らしい環境だった。

　そして、理事長の栗本博行先生の存在である。名古屋商科大学には、「フロンティア・スピリット」という建学の精神がある。建学の精神であれ、企業理念であれ、どの大学でも大半の企業でも、所詮お題目に過ぎず煮ても焼いても食えないものばかりである。

　僕もご多分に漏れず、「フロンティア・スピリットね。ふーん」って考えていたのだが、目の前に「歩くフロンティア・スピリット」がいた（笑）。1年半、栗本先生と仕事を一緒にしてきたが、その間だけでも、矢継ぎ早に女性向けオンラインMBAで、完全オンライン授業を展開し、東京校、大阪校の校舎を次から次へと拡大し、学部をBBA化する、まだまだ枚挙に暇がないが、とにかくどんどんビジネスを開拓していく。中央官庁との交渉も、自らガンガンこなしていく。「生きるフロンティア・スピリット」「歩くフロンティア・スピリット」だ。建学の精神や企業理念は「額縁の中に飾っておくもの」だと思っていた僕にとって、「歩く建学の精神」が、背中でその精神を見せてくれる場に初めて居合わせた。驚きとともに感動した。そこで、彼のリーダーシップの下で、僕も頑張ってみようと思うようになった。

　そんな中、栗本先生から「ちょっとお茶でもしましょうよ」と声がかかった。大体の場合、お茶ではなくワインになるのだが、僕はミーティングを控えていたので、コーヒーにした。そこで、栗本先生からこんな話があった。

1 | 名商大ビジネススクールではどの授業でも100%ケースを活用し、日本ではユニークな授業展開を行っている
2 | そのユニークな授業に対し、学生の満足度も高い
3 | こういった素晴らしい授業があることを世の中にもっと知ってもらいたい、そして日本のビジネスパーソンの競争力強化に貢献したい

そして最後に一言、「牧田先生に、このプロジェクトをお任せしたい」と。

まだ名商大ビジネススクールに赴任し、半年も経たない時期だったが、わずか半年弱でも、名商大ビジネススクールの教育の質の高さは分かっていたし、それをもっと多くの人に知ってもらうことは、意義のあることだと思った。そこから、自分自身が数冊書籍を出版しているディスカヴァー・トゥエンティワン社の編集部長千葉氏へご連絡し、出版に至った次第である。

名商大ビジネススクールのコアとなる存在価値は、在校生、卒業生にある。在校生、卒業生こそが名商大ビジネススクールの宝だ。宝石だ。僕はその宝を磨き上げる職人であり、やすりである。在校生、卒業生は名商大ビジネススクールの宝だが、入学時は、まだ宝石ではない。石である。僕は、その石をハンカチやタオルのような心地よい布で磨かない。荒いやすり、細かいやすりを使い分け、磨き上げる。石の方はたまったものではないだろう。やすりで磨かれるのだから、磨かれるたびに傷がつく。傷がつき、それを乗り越え、また傷がつき、それを乗り越える。そうすることで、石は磨き抜かれ最後に宝石になる。

そう思っているので、僕は授業中、鬼になる。やすりになる。MBAで学ぶことは、学生が自説を披露し、心地よくなることではない。自分なりにケースを分析しロジカルに考えたつもりでも、まだまだ自分は足りなかったと気づき、更に高みを目指すために志を堅固にすることである。

是非学生の皆さんには、自らが宝石になる過程を楽しんでいただきたい。そして、宝石になった暁には、日本企業の競争力を向上させ、ひいては日本の国力を向上し、子どもたちに誇れる、希望の持てる日本を創り

上げてほしい。

　2020年1月　東海道新幹線から、朝日に光り輝く富士山を眺めながら

Epilogue

おわりに

栗本博行

名古屋商科大学 理事長

正解のない問いに向き合うMBA教育

　MBAの教室ではよく極端な質問が投げかけられる。たとえば、「あなたがケースの主人公なら、部下から打ち明けられた15年前の不正取引を公表しますか？それともそのまま黙殺しますか？」といった問いである。無論、そこに絶対的な正解「The Answer」はない。

　そもそもビジネスにおける正解とは何かを考えれば想像がつくと思うが、誰しも自分の行動を「正しい」と信じて決断しつつも、後日になって別の選択肢に心が揺らぐことなど日常茶飯事である。決断力や判断力というものは、絶対的な正解や正義を前提にしてしまいがちだが、微妙に状況が異なれば結論は変わるものである。そう考えると、MBA教育が目指すべきは、「正解」そのものや「正解」を探す能力を高める場ではなく、失敗を恐れない、もしくは失敗から学ぶ「姿勢」を身につける場と言い換えてもいいだろう。

　本書籍シリーズはアジアにおけるマネジメント領域の教育研究の拠点として名商大ビジネススクールが取り組む「私立大学研究ブランディング事業」の成果報告として執筆するものである。今回はその第一弾として、ヒト（リーダーシップ）、モノ（経営戦略とマーケティング）、カネ（行動経済学）、およびチエ（ビジネスモデル）の4つの視点での構成とした（編集部注：後の二者は近刊予定）。

　いずれもMBAの必須科目であると同時にマネジメント教育の先端領域でもある。類似の書籍も存在するが、それらの多くは経営コンセプトの「解説書」であり、いわゆる座学の域を出ていない。本書籍シリーズが目指しているのは、MBA候補生がケースメソッドと呼ばれるダイナミックな学修を通じて次世代のリーダーとして成長する姿を追体験する点にある。まずはご協力いただいた教授陣のみならず参加者の方々や事務局スタッフの方々にもこの場を持って厚く御礼申し上げたい。

前述のように、MBA教育とは、経営学に関する専門知識や能力獲得の場ではなく、リーダーの内面に宿る姿勢そのものを育む場であるべきだ。最新のケースや流行の理論を追いかけることを慎みつつ、高等教育機関がそして研究者が教室内でいかに「理論」と「実践」のバランスを保つべきか? 本学はその問いに向き合う中で「ケースメソッド」と出会った。

　質の高いマネジメント教育を追求するうえで「参加者中心型」の討議を行うケースメソッド以外の教育手法を否定する意図はないが、教科書片手に教員の自説が朗々と解説される教室で優れたリーダーが育つ状況を想像し難いのは私だけではないだろう。事実、100年以上の長きにわたり世界中のリーダー教育で愛され続けてきたこの教授法を追求する過程で、数多くの素晴らしい研究者と出会い有意義な出来事を経験した。本書はこうした取組の一端を少しでも多くの方々に触れていただける機会を提供するものである。

誤解だらけのMBA教育

　MBA教育とはリーダー教育であり、いかに優れたリーダーを育成するかが世界中のビジネススクールに与えられた永遠の課題である。一方で、MBAの入試面接の場で「経営の知識」を求めてMBAの扉を叩く志願者に幾度となく遭遇する。もし経営の知識を手に入れたいのであれば、MBAという2年間の学修期間よりもはるかに短期間で確実かつ安価に達成可能な別の方法をお薦めしたい。私たちが理想とするMBA教育とは、不確実かつ限られた情報で苦渋の決断を下す経営者の意思決定を追体験しながら、リーダーとしての姿勢を高める場所である。

　その前提での話題となるが、「ビジネススクール=MBA教育」という単純な話ではない、という点をまず明確にしておきたい。多くの方々がMBAと聞くと、名だたるリーダーを育成してきたHarvard Business School（以

下、HBS）を想起するだろう。しかしながら、HBSは大学院課程と非学位課程の社会人教育に焦点を当てており、それはビジネススクールとしてのひとつの形態である。ビジネススクールとはマネジメント教育に関する学士課程、修士課程、博士課程、および非学位課程を提供する高等教育機関であり、… School of Business、もしくは、… School of Managementとして活動する形態が一般的である。たとえば、HBSから徒歩圏に位置するMIT Sloan School of Managementなど多くの名門ビジネススクールは学士課程から博士課程まで幅広い参加者を対象としたマネジメント教育を提供している。

表1 | **ビジネススクールが提供する学位の基本類型**

	学士課程	修士課程	博士課程
研究志向	BSc	MSc	PhD
実践志向	BBA	MBA	DBA

　学位の視点で整理すると、世界のビジネススクールでは経営学に関する学士号（BSc/BBA）、修士号（MSc/MBA）、および博士号（PhD/DBA）を授与しているのが通例である。そして少し乱暴ではあるが、それらの教育課程は「研究志向（BSc/MSc/PhD）」と「実践志向（BBA/MBA/DBA）」に区分可能で、前者は学術色の濃い研究者養成型であり、対する後者は実践色の濃い実務家養成型である。さらに、育成する人材像に応じて参加要件としての実務経験を設定する場合が多く、10年程度[i]の実務経験を必要とするExecutive MBA、5年以上の実務経験を必要とするDBA[ii]、3年以上の実務経験を必要とするMBA[iii]、そして実務経験を必要としないPhD、MSc[iv]、BBA、およびBScとに区分される。

　領域の視点で整理すると、MBAは実践的なマネジメント教育を網羅的に提供する場であるのに対して、MScは特定領域における専門教育を体系的に提供する場と定義できる。したがって、MBAは組織全体を俯瞰した意思決定を行う人材の養成を目的としているのに対して、MScは企業の

特定領域（例えば財務、会計、金融、生産、流通、税務、販売、および経営分析など）における高度な専門知識を有する人材の養成を目的としており、学位名称も領域名を付与して表記（例、MSc in Finance）するのが通例である。

　最後に、期間の視点で整理すると、大学院は2年間（欧州では1年から1.5年）の学修期間を要する学位課程と、数日間から数ヶ月間といった短期間で完結する非学位課程とに分類可能である。後者は多忙な管理職を対象に特定領域の話題に焦点を当てた授業が集中講義形式で行われることが多く「Executive Education」として提供されている。非学位課程とはいえ学位課程の担当教員が教鞭をとる場合や、ビジネススクールが正式に提供する教育課程である事を示すために、履修証明書（Certificate）が付与される場合が多い。ちなみに、あまり知られていない事実だが、MBAランキング上位校ほど、非学位課程によるリーダー教育が財政面における大黒柱となっている傾向にある。

　以上の議論を踏まえると、いったい何を基準にMBAという「学位」に相当する教育課程とみなせるのか、その境界線は実際のところ不明瞭であり誤解も多い。国内ビジネススクールでこうした点を正確に理解して教育課程を展開している大学は、残念ながら少数派と言わざるを得ない。経営系のコンテンツを扱っていれば、とりあえず「MBA」と称する怪しげな基準に基づいたMBAが巷に溢れかえっているのが実情であり、国際的な基準で学位の品質を評価し認証する仕組みの重要性は高まっている。

---

i　Executive MBAの参加要件については明確な基準は存在しないが、MBA（実務経験3年以上）と区分するために実務経験10年程度に設定されることが一般的である。

ii　国際認証機関Association of MBAs（AMBA）が定めるDBA criteria for accreditation 5.3に基づく。

iii　DBA同様にAMBAが定めるMBA criteria for accreditation 5.3に基づく。

iv　マネジメント領域を体系的に扱う場合の学位はMaster of Science in ManagementとなりMScM/MIM/MSMと略されることが多い。

名商大ビジネススクールの教育

　次に名商大ビジネススクールの母体となる名古屋商科大学の生い立ち
を簡単に紹介する。

　創立者の栗本祐一氏はアルバータ大学で教育を受けて「Frontier
Spirit」を胸に帰国後、 1935年に名古屋鉄道学校を創立。鉄道事業と
いう当時の国家的インフラ事業に貢献する人材育成の一翼を担った。しか
し戦争で全てを失い、 食べる物も、 着る物も、 住む場所も失った焼け野
原を見て、 商業で日本経済を支える人材を育成することを決心。関東の
東京商科大学 （一橋大学）、 関西の神戸商業大学 （神戸大学）に対応し
て「商科大学」不在の中部地区に、 名古屋商科大学を設立 （1953年）
した。 その後、 名古屋商科大学は社会人教育を確立するための第一歩
として大学院を設立 （1990年）して、 伝統的な欧米ビジネススクールとの
提携交流を通じながらリーダー教育の理想型を模索し続けてきた。

　そして、 本学の教育の方向性を決定づけた出来事はカナダに拠点を
持つIVEY Business School （以下、「IVEY」）との出会いと国際認証へ
の挑戦であった。 IVEYはカナダのオンタリオ州西部のロンドン （人口30万
人）に位置する教員100名規模の国際認証校であり、 世界的にも高い評
価を有する高等教育機関である。本学が教育課程の開発においてIVEY
に注目したのは、 大学院教育のみならず学部教育においてもケースメソッ
ドでマネジメント教育を展開して、 さらには先進的な社会人教育を香港で
も展開していたためである。 ちなみに、 私がIVEYの香港校を訪問して最
も印象的だったのは、 一年次の教室サイズよりも二回り小さな二年次用の
教室であった。 なぜ教室サイズが異なるのか?という私の問いかけに対して
「全員が二年次に進級できるほど甘くはない」と微笑んだ責任者の顔は
今でも鮮明に記憶している。

名商大ビジネススクール小史

1990	大学院修士課程として設置認可
2000	社会人を対象とした教育課程の拡充開始
2002	ケースメソッドを全面採用
2003	Executive MBA開設
2005	英語MBA開設
2006	AACSB国際認証取得
2009	AMBA国際認証取得
2015	ケースメソッド専用タワーキャンパス完成
2018	ケースメソッド研究所設立
2018	オンラインでの遠隔ディスカッション授業開始
2019	日本ケースセンター運営開始

学部でも活用されるケースメソッド教育

　MBA教育に参加するためには実務経験を有することが望ましいが、ケースメソッド教育に参加するために実務経験が必要という意味ではない。事実、前述のIVEYのみならず学部教育においてケースメソッドを採用しているビジネススクールは世界に数多く存在している。特に学部版MBAともいえるBBA（Bachelor of Business Administration）は米国、カナダ、フランス、香港では人気の教育課程として知られ、ケースメソッドで授業が提供される場面が多い。

　名古屋商科大学は長年のMBA教育で培った教育手法を学部教育に展開すべく、国内で初の試みとしてBBA（日本語）とGlobal BBA（英語）を提供している。教養科目から専門科目まであらゆる授業にケースメソッドを適用するにはいくつかの工夫が必要となるが、原理原則はMBAと同一である。80名の学部生が授業前にケースを「予習」して、教員の問い

かけに対して一斉に「挙手」して発言する姿は鳥肌ものである。思わず学生時代を振り返って、果たして当時の自分にあれが出来ただろうか?と自問自答してしまう。

　こうした本学の実践例を別にすると、国内でケースメソッドを採用しているのは一部の経営大学院と企業内研修においてのみである。今後は学部教育課程や高等学校教育課程においてもアクティブラーニングと呼ばれる参加者中心型の「学修手法」を実現する「教育手法」として浸透することが期待される。この領域は無理、この人数は無理、実務経験がないと無理……などといった形で、教員がケースメソッドに拒否反応を示す数多くのパターンを見てきたが、それは決められた流れで授業を「安全運転」したがる教員側の反射的な反応である。しかしながら、学問領域がその教育手法や研究手法を決定する事はない。

ビジネススクールに対する批判

　マギル大学（McGill University）の経営学者ミンツバーグ教授（Henry Mintzberg）が『Managers not MBAs（邦訳：MBAが会社を滅ぼす）』においてマネジメントとは本来、クラフト（経験）、アート（直感）、サイエンス（分析）の3つを適度にブレンドすべきであると主張し [v]、サイエンスに偏りすぎたマネジメント教育に対する警鐘を鳴らしたことは知られている。サイエンス偏重の教育でまともな管理職育成ができるのか?という主張である。また、ミンツバーグの批判と表裏一体の存在が「MBAランキング」である。誤解を恐れずに表現するならば、MBAランキングとは「費用対効果ランキング」であり、MBAランキングの代表格であるFTランキングは、調査項目全体に占める卒業生の年収関連項目の比率が40％を超え、教育ROIすなわちValue for moneyか否かという点を重視している。当然ながら授業料を早期に回収可能な「ホット」な業界に修了生を送り続けるインセン

ティブがビジネススクールに対して働き、MBA教育はコンサルタントと投資銀行家を育てる「花嫁学校」とまで揶揄されたことがある。

　同時に彼はケースメソッドに関しても『ストーリーとしてのケース、経験の記憶としてのケースは役立つ場合もあるが、そのためには歴史的経緯を含めて、複雑な現実を尊重することが条件になる。ケースメソッドは実体験を補足するものであって、実体験の代用品になるものではない』と注文をつけている。リアルなシミュレータ訓練だけでライバルに勝てるほど現実社会のレースは甘くない。スポーツでの敗北はビジネスでは倒産を意味する。多くの経営者が、判断力、決断力、行動力よりも「このままでは倒産するかもしれない」という恐怖を感じる感性こそが「経営力の源泉」と振り返ることが多いが、果たしてケースメソッドでそこまでの没入感を持った授業を展開できているだろうか?今一度、教員も自問自答する必要がある。

　訓練（教室）で実践（実務）さながらの恐怖感を体験することはできない、同様に実践で訓練ほど安全に失敗することはできない。訓練と実践との往復で高められた感性こそが重要であり、どちらかひとつに偏ることは望ましくない。しかしながら、米国ではMBA課程の入学者に対して実務経験を求めることは少なく、学部卒業直後に入学することも可能である。またそのMBA課程も平日昼間に授業を行うフルタイム型が主流であり、訓練しながら実践する機会は限られている。したがって、実務経験を持たないMBA取得者が管理職候補として採用/厚遇される例は珍しくない。こうした現実をミンツバーグ教授が疑問視した3年後に、MBAが「世界」を滅ぼしかねない状況が生じた。

ⅴ　Mintzberg, H. (2005). Managers Not MBAs: A Hard Look at the Soft Practice of Managing and Management Development. Berrett-Koehler Publishers.

国際認証の視点

　名商大ビジネススクールが国際認証の取得を通じて得た視点とは、スクールミッションを実現させるための「動力源」をいかに内部化させるか? である。すなわち「科目」ごとにミッションとの関わりでの存在理由を与え、属人的になりやすい教育内容／手法にまで踏み込んだ改善を継続的かつ組織的に実施する仕組みづくりである。ビジネススクールを世界規模で認証する組織としてAACSB、AMBA、EQUISが3大国際認証機関と呼ばれ、これら国際認証の取得には教育課程、学修達成度、および研究実績などに関して定められた国際基準を満たすことが求められる。国や地域が異なれば学校教育制度も異なるため「MBA教育とは何か?」もしくは「高等教育機関におけるマネジメント教育とは何か?」という本質的な問いに対する国際基準としての役割を尊重して、世界のビジネススクールの約5%がこの国際認証に取り組んでいる。

　当然ながら国際認証機関ごとに重視領域は異なるのだが、3つの国際認証に共通しているのは、ミッション主導型の国際的な教育研究が求められる点である。ビジネススクールは人材育成目標から学習到達目標（Learning Goals、以下「LG」）を導出して、LGを達成させるためのコンテンツを教育課程として構築しなければならない。そして教育成果としての参加者のLG到達度を教員が直接測定しながら、その改善に向けて教育課程を再検討していくプロセスがAoL（Assurance of Learning）と呼ばれている。まさにミッションを実現させるために教育課程が存在するという大前提を教員自らが理解して、その実現に向けて組織的に行動することが求められるのである。

　米国を拠点とするAACSBは大学のミッションを重視する機関として知られている。LGはミッションから「導出可能」かつ「測定可能」な要素であることが求められる。さらに、LGは特定の学問領域に対する理解度

／知識量ではなく、学位課程の履修を通じて育成されるべき測定可能な行動特性（コンピテンシー）とするのが共通理解である。AACSBは「機関認証」を行うため、マネジメント教育を提供する学部教育と大学院教育が一体で認証を取得する必要がある。それは、ビジネススクール教育に関する長年の歴史を有する欧米社会では、前述の通り学部と大学院は不可分の存在と考えられているためである。しかしながら、日本国内ではビジネススクール教育が2000年以降の専門職大学院制度をきっかけとして広まった経緯から、ビジネススクール＝経営大学院として解釈されることが多い。間違いとはいえないが、海外からの訪問者には理解されにくいだろう。

一方で英国を拠点とするAMBA（Association of MBAs）の場合は、MBA教育に特化した「課程認証」を実施して、教育課程の細部にわたり審査を行うのが特徴である。MBA教育とはいかにあるべきか、という点に強いこだわりを持ち、実務経験年数や年間入学者数に関しても厳格な条件を設定していることで知られている。AMBAの最大の特徴は、MBA教育を通じて育成されるべき13の行動特性が明確に規定されており、それらが全参加者に対する必須科目群（コアカリキュラム）でなければならない点である。MBAの三文字を冠した学位を提供する教育課程は自動的に認証審査の対象となり、5年ごとに実施される実地審査においては、どの科目がAMBAの規定する13領域に対応しているのか、使用したケースまで精査されることになる。加えて、国際的に活動する企業や教育機関との交流ネットワークがどの程度機能しているかを重視するのもAMBAの特徴である。

そして欧州を拠点とするEFMDが提供するEQUIS認証は、ビジネススクールの教育、研究、および運営における国際性について重点的に審査する傾向にある。あらゆる側面において国際化が求められるため、英語での学位課程（MBA/MSc）を提供している事が実質的に不可欠とも考えられている。その中でも国内ビジネススクールにとって最も難易度の高い課題は「研究成果の国際性」であろう。単に論文が英語で書かれていれば良いのではく、引用頻度の高い（他の研究に影響を与える可能性の高

い）査読誌への掲載が競争領域である。EQUISは教員に対して国際的な「研究者」であることを求めるのである。当然ながらこの認証基準に対応可能な教員は限られているため、国内外から優秀な研究者を採用することが求められる。さらにEQUISは、企業倫理、ガバナンス、および持続可能な経営といったリーマンショックに対応したテーマを重点要域としていることでも知られている。

このように、どの国際認証機関も審査領域を差別化しているため、各ビジネススクールはミッションと親和性の高い認証を選択したうえで、改善していくべき戦略項目に数値目標を設定して、教員組織がその目標に向かっていくことが求められている。

倫理を教え始めたビジネススクール

最後に、これら3つの国際認証機関とコアカリキュラムとの関連で注目すべきは「企業倫理」に対するアプローチである。リーマンショックの後に、ビジネススクールはこの金融危機に対して「有罪」なのか、それとも「無罪」なのかという責任論が、AACSBをはじめとする認証機関の国際会議で幾度となく議論された。事実、金融危機の舞台となったウォール街の住人を育成していたのは他ならぬビジネススクールであった。高額なビジネススクールの授業料を卒業後に回収すべく、卒業生は高収入が期待できる金融街に職を求め、またビジネススクールもその金融街のニーズを教育課程に反映させて、ファイナンス教育に力を入れていたのである。

ビジネススクールが有罪とは少々乱暴な表現ではあるが、「会社というのは金儲けを行うための道具だ」という企業用具説なる立場が存在する。ミンツバーグの指摘が予言したように、MBA教育が提供した経済合理性を追求するサイエンスを極限まで駆使した結果、リーマンショックを引き起こ

したという考え方である。ビジネススクールはこれを教訓にできないのか？高等教育機関として無力なのか？という議論に対してAACSB、AMBA、EFMDがともに到達した答えが「ビジネス倫理」である。

倫理を教室で「教える」ことは到底不可能であろう、そもそも倫理とは業界、地域、宗教、時代、など多くの要因によって影響を受ける領域であり、そこに「The Answer」などない。と同時に、倫理と接点を持たない学問領域など存在しないのも事実である。例えば、話題のBig DataやAIであれば、経営者としていかに情報資産と向き合うか（大学生の就職活動データを販売対象とするか否か）など、倫理面からのアプローチは教員の腕の見せ所である。倫理的な問いかけを特定の科目や特定の教員に押しつけるのではなく、体系的に構築された教育課程全体でいかに向き合うかが今のビジネススクールに求められている。

今後のコアカリキュラムの動向

コアカリキュラムとは必修科目群であり、ビジネススクールとしての共通した到達目標である。したがって、コアカリキュラムは学問領域ではなく、ミッションを追求するうえで育成すべき行動特性から定義されるべきである。そして理想形としての行動特性は時代とともに変化することを意識しておかなければならない。近年の動向としては、卒業後の進路が従来の金融街から新興IT企業へと変化している点を意識して、起業家育成、デザイン思考、デジタル変革、女性リーダーなどに対応したコアカリキュラムの開発が求められている。

コアカリキュラムに関連して、その開講形式、教授法、および参加者にも変化がみられる。まず、開講形式については一時的にせよ離職することが必要なフルタイム型から、働きながら学び直すことが可能なパートタイム

型に移行している。次に、教授法についても伝統的な教室内での対面式授業から、最新技術を活用したオンラインの要素を組み合わせることが不可避になっている。最後に、MBA参加者の多様性が飛躍的に高まっている点など、ビジネススクールを取り巻く環境は確実に変化している。

時代が変われば、育成すべき人材像も変わり、ミッションも変わり、コアカリキュラムも変わり、教員の意識や教授法も変化しなければならない、という当たり前の基本姿勢が国内ビジネススクール運営に携わる者にとって共有されることを願っている。

最後に

ビジネススクールがリーダー教育を行ううえで、避けて通れないのがケースメソッドの実践である。ケースメソッドのみがリーダー教育と主張することは慎むが（若干内心そう思っている）、この手法を教育文化として組織的に実践するためには、資源ベースの観点でハード・ソフト・コンテンツの3要素が鍵となる。ハードとは教育装置としての教室や黒板、ソフトとは教員および参加者、そしてコンテンツとは教材としてのケースであり、これら必要条件としての3要素を教育目的の下で有機的に機能させる「チカラ」が働かなければ定着は困難である。名商大が約30年間の経営大学院としての歩みの中でケースメソッドと出会い、教育文化として定着させる一環で教育学（Pedagogy）のチカラを借り、教員構成の1領域として内包できるのは、高等教育機関として極めて名誉なことである。

繰り返しになるが、MBA教育とはリーダー育成の場である。会社や社会を幸せにしたいと本気で願う者が集い、討議し、内省し、信念を形成する場。制約が強い状況でいかにリーダーとして選択し行動すべきかについて考える精神修行の場でありたい。私たちが追い求めるマネジメント教

育とは社会を豊かにするリーダーを育成するための学問、決してその理論や知識を自慢げに振りかざすための 「道具」 ではない。

　最後にもう一言だけ、MBAを目指す友人たちに。 今こそ 「自分と向き合え」。それはリーダーの宿命、あなた方の運命だ。

名古屋商科大学 理事長

栗本 博行

NUCB BUSINESS SCHOOL｜ケースメソッド MBA 実況中継 01

経営戦略とマーケティング
Aligning Strategy and Sales

発行日　2020年3月20日　第1刷

Author
牧田幸裕
第1章執筆

竹内伸一（名古屋商科大学ビジネススクール教授）
おわりに執筆

栗本博行（名古屋商科大学理事長）

Book Designer
加藤賢策　守谷めぐみ（LABORATORIES）

Publication
株式会社ディスカヴァー・トゥエンティワン
〒102-0093　東京都千代田区平河町2-16-1
平河町森タワー11F
TEL 03-3237-8321（代表）
　　 03-3237-8345（営業）
FAX 03-3237-8323
http://www.d21.co.jp

Publisher
谷口奈緒美

Editor
千葉正幸（編集協力｜小林佳代）

Publishing Company
蛯原昇　梅本翔太　古矢薫　青木翔平　岩﨑麻衣
大竹朝子　小木曽礼丈　小田孝文　小山怜那
川島理　木下智尋　越野志絵良　佐竹祐哉
佐藤淳基　佐藤昌幸　直林実咲　橋本莉奈
原典宏　廣内悠理　三角真穂　宮田有利子
渡辺基志　井筒徳子　俵敬子　藤井かおり
藤井多穂子　町田加奈子

Digital Commerce Company
谷口奈緒美　飯田智樹　安永智洋　大山聡子
岡本典子　早水真吾　磯部隆　伊東佑真

倉田華　榊原僚　佐々木玲奈　佐藤サラ圭
庄司知世　杉田彰子　高橋雛乃　辰巳佳衣
谷中卓　中島俊平　西川なつか　野﨑竜海
野中保奈美　林拓馬　林秀樹　牧野類　松石悠
三谷祐一　三輪真也　安永姫菜　中澤泰宏
王廳　倉次みのり　滝口景太郎

Business Solution Company
蛯原昇　志摩晃司　野村美紀　南建一
藤田浩芳

Business Platform Group
大星多聞　小関勝則　堀部直人　小田木もも
斎藤悠人　山中麻吏　福田章平　伊藤香
葛目美枝子　鈴木洋子

Company Design Group
松原史与志　井筒浩　井上竜之介　岡村浩明
奥田千晶　田中亜紀　福永友紀　山田諭志
池田望　石光まゆ子　石橋佐知子　川本寛子
丸山香織　宮崎陽子

Proofreader
文字工房燦光

DTP
ISSHIKI

Discover

人と組織の可能性を拓く
ディスカヴァー・トゥエンティワンからのご案内

本書のご感想をいただいた方に
うれしい特典をお届けします！

特典内容の確認・ご応募はこちらから

https://d21.co.jp/news/event/book-voice/

最後までお読みいただき、ありがとうございます。
本書を通して、何か発見はありましたか？
ぜひ、感想をお聞かせください。

いただいた感想は、著者と編集者が拝読します。

また、ご感想をくださった方には、お得な特典をお届けします。